FANTASY

Die Welt der DRACHENLANZE im Goldmann Verlag:

Weitere Bände in Vorbereitung.

ROLAND GREEN

Die Krieger der Drachenlanze 5

Die Ehre des Minotaurus

Aus dem Amerikanischen
von Imke Brodersen

DragonLance®

GOLDMANN

Das Buch erschien im Original unter dem Titel
»DRAGONLANCE® Saga, The Warriors III, Knights of the Sword«
(Chapters 1–11)
bei TSR, Inc., 1801 Lind Ave SW, Renton, WA 98055, USA

Umwelthinweis:
Alle bedruckten Materialien dieses Taschenbuches
sind chlorfrei und umweltschonend.
Das Papier enthält Recycling-Anteile.

Deutsche Erstveröffentlichung 3/99

U. S., CANADA,	EUROPEAN HEADQUARTERS
ASIA, PACIFIC &	Wizards of the Coast,
LATIN AMERICA	Belgium
Wizards of the Coast, Inc.	P.B. 34
P.O. Box 707	2300 Turnhout
Renton, WA 98057-0707	Belgium
+ 1-206-624-0933	+32-14-44-30-44

Visit our website at http://www.tsr.com

Published in the Federal Republic of Germany by
Wilhelm Goldmann Verlag, München
Deutschsprachige Rechte beim
Wilhelm Goldmann Verlag, München,
in der Verlagsgruppe Bertelsmann GmbH
Umschlaggestaltung: Design Team München
Umschlagillustration: TSR
Satz: deutsch-türkischer fotosatz, Berlin
Druck: Elsnerdruck, Berlin
Verlagsnummer: 24847
Redaktion: Yvonne Hergane
V. B. · Herstellung: Peter Papenbrok
Printed in Germany
ISBN 3-442-24847-7

1 3 5 7 9 10 8 6 4 2

Prolog

Ohne Rüstung war Sir Marod von Ellersford noch nie eine große Last für sein Pferd gewesen. Er war einen Kopf größer als der Durchschnitt, aber auch eine Spanne schmaler gebaut. Einer seiner Ausbilder hatte ihn als jungen Mann verspottet: »Glaubst du, du könntest jeden Bogenschützen besiegen, indem du dich einfach seitwärts drehst? Denk lieber noch einmal darüber nach, Marod!«

Das lag vierzig Jahre zurück. Inzwischen war Marod nicht mehr jung, sondern ein Ritter der Rose in den Rängen der Ritter von Solamnia. Doch noch immer war er hager.

Deshalb fiel es seinem Pferd nicht schwer, ihn auf die Kuppe eines Hügels unweit der Burg Dargaard zu tragen. Marod warf keinen Blick auf das große Steingebilde und die Gebäude, von denen die Burg umgeben war, sondern schaute statt dessen nach Westen in Richtung Sonnenuntergang.

Dort erhoben sich niedrige, aber bizarr zerklüftete Berge, wo Regen und Wind über Tausende von Jahren hinweg das weiche äußere Gestein vom härteren Kern abgetragen hatten. Manche der Felsspitzen ragten vor dem strahlenden Rot und Gold dieses Himmelsabschnitts empor. Andere verloren sich in zunehmendem Blaugrau, wo sich Sturmwolken sammelten.

Ein Sturm zu diesem Zeitpunkt im Frühling konnte stark oder schwach sein, viel anrichten oder wenig. Ganz ähnlich wie die Ritter von Solamnia – was einer der Gründe war, weshalb Sir Marod von Ellersford seit rund fünfzehn Jahren die

Aufgabe erfüllte, die ihn die Wahren Götter hoffentlich noch einmal so lange erfüllen lassen würden.

Diese Aufgabe war leicht genug in Worte zu fassen. Es ging darum, Nachwuchs, Waffen, Geldgeber und Talente für die Ritter zu beschaffen, ohne daß die Priester, die in Istar der Mächtigen regierten, davon erfuhren. Es ging ferner darum, die Quellen dieses Nachschubs vor den Priestern verborgen zu halten – und, soweit Ehre, Eid und Maßstab es gestatteten, auch vor jenen Rittern, die nichts davon zu wissen brauchten.

Der Welt erging es unter der Herrschaft von Istar der Mächtigen nicht so schlecht, als daß dies eine Frage von Leben oder Tod gewesen wäre. Selbst jene Nationen, die sich weigerten, Istar mehr zu gewähren als einen rein nominalen Treueschwur, taten dies auf höfliche Art (bis auf die Minotauren, und die verhielten sich Istar gegenüber nicht dreister als gegenüber allen anderen, was Marods Vermutung nach eine gewisse Form der Ehrerbietung war). Istar regierte, es herrschte Frieden, und die Menschen übten sich in den eleganten Künsten des Friedens.

Die Ritter von Solamnia, die sich von früher Jugend an den Kriegskünsten verschrieben, hatten in dieser behaglichen Welt wenig Platz. Es kamen nur noch wenige Junge, um sich ihren Reihen anzuschließen; viele verließen diese Reihen, sobald ihnen dies von Rechts wegen gestattet war.

Hätten die Priester von Istar nicht offen über diese Entwicklung frohlockt, so wäre Marod vielleicht weniger unwohl dabei gewesen. Aber ihm kam es so vor, als ob die Priester über die Schwächung der Ritter frohlockten wie über die Schwächung eines möglichen Rivalen. Und Marod mißtraute Leuten, die keine Rivalen ertragen konnten.

Als gebildeter Mann wußte er nur zu gut, daß selbst unter den Wahren Göttern das Gute, die Neutralität und das Böse existieren mußten, um das Gleichgewicht des Universums zu erhalten. Die Menschen, die das Gleichgewicht noch dringender brauchten als die Götter, mußten sehr genau aufpassen, damit nicht ein Teil zuviel Macht errang.

Allein durch ihr Vorhandensein bildeten die Ritter ein Gegengewicht zu den Priestern. Marod hoffte ernstlich, daß weder er noch andere recht behalten würden, wenn sie in Zukunft härtere Arbeit befürchteten. Doch es war bereits bekannt, daß die Priester einen ungerechten Umgang mit Rassen, die nicht zur Menschheit zählten, befürworteten oder zumindest wegsahen, wenn Ungerechtigkeiten geschahen.

Außerdem gab es da noch den Anführer unter den Priestern, der sich offen Königspriester nannte – was bedeutete, daß er sowohl über die Verehrung der Götter als auch über die Alltagsgeschäfte der Bewohner von Istar bestimmen wollte. Und es gab viele Gerüchte, denen Sir Marod weder Zeit noch Glauben schenken wollte – obwohl er bis ins Mark erschüttert war, wenn sie sich in sein Bewußtsein schlichen.

Was sich jetzt in sein Bewußtsein schlich, waren die Hufschläge eines Pferdes, das den Weg herauftrottete und schnaubte, als sein Reiter es zügelte. Marod drehte sich im Sattel um und sah, wie Sir Lewin von Trenfar ihn angrinste.

Sir Lewin war eine ordentliche Last für jedes Pferd, selbst wenn er nur mit Tunika und Reithose, Umhang, Schwert und Dolch ausgerüstet war. Glücklicherweise war er wohlhabend genug, sich Rösser leisten zu können, die ihn auch tragen konnten. Seine Familie gehörte zu den niederen Rängen des Solamnischen Adels, doch sie war mit einem halben Dutzend höherer Adelshäuser und immerhin einem – wenn auch unbedeutenden – König verwandt. Sir Lewin hatte seit seiner Knappenzeit nicht knausern müssen.

Erst seit dem letzten Jahr, als Lewin weit im Osten eine Verschwörung unter einigen kleineren Grundbesitzern aufgedeckt hatte, die Räuberbarone werden wollten, war dieses

Grinsen ihm zur Gewohnheit geworden. Damals hatte er sein Leben riskiert und war ordentlich ins Schwitzen geraten, so daß er allen angemessenen Bedingungen für die Erhebung zum Ritter der Rose entsprach, dem höchsten Rang unter den Rittern von Solamnia.

Eine dieser angemessenen Bedingungen war – dem Maßstab zufolge – die Zustimmung aller anderen Ritter der Rose. Zu diesen zählte auch Sir Marod, und er hatte seine Zustimmung bereitwillig gegeben. Nicht ohne gewisse Zweifel jedoch, daß diese Ehre seinem Schüler ein wenig zu früh zukam, aber diese Zweifel hatten nicht ausgereicht, um eine Verweigerung der Zustimmung zu rechtfertigen.

Die Götter haben uns alle als Mischung erschaffen, von den Tagen von Vinas Solamnus bis heute, und daß einmal ein weniger schmackhafter Teil in der Mischung vorherrscht, bedeutet nicht, daß ein Mann dem Bösen verfallen ist.

Sir Lewin löste die Nadel seines Umhangs und bot diesen dem älteren Ritter an. »Der ist wärmer als Eurer.«

»Die Jahre haben mein Blut nicht so verdünnt, wie Ihr glaubt, junger Ritter«, sagte Marod mit einem frostigen Lächeln. »Und so wie Ihr geritten seid, seid Ihr ins Schwitzen gekommen. Wenn Ihr Euren Mantel abnehmt, riskiert Ihr eine Erkältung, und dafür gibt es nur ein Heilmittel.«

Lewin verzog das Gesicht in gespieltem Entsetzen. »Nein, nicht Gulianas Heilschleim!« Die Heilerin der Weißen Roben war für ihren Glauben berüchtigt, daß man seine Gesundheit nur durch Leiden zurückerhalten könne.

»Nichts anderes.«

Hastig schwang Lewin sich den Mantel wieder um die eigenen Schultern. »Ich habe die Briefe gelesen, die Ihr für mich zurückgelassen habt. Nichts von dem, was darin steht, scheint ein Eingreifen zu erfordern, und eine Antwort ist nur nötig, damit die Schreiber auch wissen, daß wir sie anhören.«

Marod zeigte nicht mehr Reaktion als der Marmor einer Tempeltreppe. Lewin runzelte die Stirn.

Marod wußte, daß er den Jüngeren prüfte, und der Jüngere wußte, daß er geprüft wurde und daß er durchfallen würde, wenn er fragen mußte, welcher Brief mehr als eine förmliche Antwort erfordern mochte. Beide Ritter würden froh sein, wenn dieses fast alltägliche Ritual erledigt war.

»Was haltet Ihr von den Gerüchten, daß Karthay eine Vergrößerung seiner Flotte beabsichtigt?« meinte Lewin schließlich.

So leicht wollte Marod ihn nicht davonkommen lassen. »Ja, was ist davon zu halten?«

»Unser Mann in Karthay meint, man hört auf den Straßen davon reden. Aber er hat nicht gesagt, auf welchen Straßen.«

»Spielt das eine Rolle?« Marod kannte die Antwort; er spielte den Advokaten des Bösen.

»Allerdings. Wenn es eine Geschichte ist, die im Hafenviertel herumgeht – da erzählt jeder Seemann nach dem zweiten Becher von seinen Träumen. Eine größere Flotte wäre der Traum vieler Matrosen in Karthay, die durch Istars Händler an Land verbannt wurden.«

»Verständlich. Und wenn es ein Gerücht ist, das auf den Straßen um den Hauptmannsplatz umgeht?«

Lewin runzelte die Stirn, was sein schönes Gesicht verunzierte, auf das er stolzer war, als es für einen Ritter ziemlich war, wenn auch nicht in einem Ausmaß, daß es den Maßstab in irgendeiner Form verletzt hätte. Marod verstand nun, warum der Jüngere gewöhnlich grinste oder zumindest lächelte, selbst wenn es anscheinend wenig zu lächeln gab.

»Wie die meisten Prophezeiungen könnte man auch das auf mehr als eine Weise verstehen. Die Familien in den Straßen hinter dem Tempelberg sind reich und von hohem Rang. Eine größere Flotte bräuchte ihre Zustimmung. Wenn sie davon sprechen, könnte etwas Wahres daran sein.« Lewin zuckte mit den Schultern, dann fuhr er fort: »Andererseits steht im Maßstab – oder wo auch immer ich sonst nachschlagen könnte – nichts davon geschrieben, daß reiche Männer nicht von Dingen träumen können, aus denen nichts wird. Deshalb sollten wir denen, die in Karthay Ohren haben, vielleicht schreiben, daß sie darauf achten sollten, wo dieses Gerücht im Umlauf ist, ehe wir es glauben oder verwerfen.«

»Sehr gut überlegt, Sir Lewin. Wir machen noch einen vollendeten Intriganten aus Euch.«

»Ist das ein ehrenvoller Posten für einen Ritter der Rose?«

»Die Ritter aller Ränge dienen Ehre, Eid und ihren Brüdern zugleich. Der Eid der Ritterschaft besagt mit keinem Wort, daß dies leicht sein muß. Vieles in unserer Geschichte besagt das Gegenteil.«

Die Stille, die Sir Marods letzten Worten folgte, wurde nur vom Atem der Pferde gemildert, bis ein fernes Donnergrollen die beiden Ritter dazu veranlaßte, die Kuppe zu verlassen, um den Sturm an einem trockeneren Ort abzuwarten.

Kapitel 1

Er war zweiundzwanzig Jahre alt, sechseinhalb Fuß groß und von kräftiger Statur. Er trug den Namen Dahrin, weil Waydol, der Minotaurus, der ihn aufgezogen hatte, behauptete, er müsse einen Menschennamen haben. Allerdings bezeichnete er sich selbst normalerweise als den »Erben von Waydol« oder gar den »Erben des Minotaurus«. Letzterer Titel würde auf Dauer vielleicht nicht genügen, falls einmal mehr als ein Minotaurus in diesem Landstrich an der Nordküste von Istar leben würde.

Andere Minotauren segelten die Küste entlang, obwohl es inzwischen weniger waren, seit sie wußten, daß sie einen wenig ehrenhaften Tod durch die Soldaten in Istars Flotte und den Küstengarnisonen zu erwarten hatten. Alle Länder der Minotauren lagen jenseits des Meeres.

Aber wenn in diesem Land jemand von »dem Minotaurus« sprach, meinte er damit Waydol.

In diesem Augenblick jedoch sprach Dahrin weder von Waydol noch von jemand anderem. Er wünschte sich, so still stehen zu können wie ein Baum im Wald und so unsichtbar zu sein wie die Brise, die durch die Bäume zog. Obwohl der gelegentliche Luftzug im Wald ihn zum Schwitzen brachte und den Insekten gestattete, es sich auf seiner Haut bequem zu machen, wischte er sich weder den Schweiß ab, noch schlug er nach den Insekten.

Der Ruf eines Sonnenflüglers, dreimal wiederholt, ließ ihn

11

den Kopf drehen. Im Schatten zwischen zwei gewaltigen Pinien stand ein dunkler Schatten. Dahrin nickte.

Der Schatten trat vor und entpuppte sich als Mann. Er kam bis auf Armlänge an Dahrin heran und tippte seine Botschaft mit zwei Fingern und dem Daumen jeder Hand auf Dahrins linken Unterarm und seine Hand.

Dahrin hatte die Handsprache, die Waydol der Bande beschert hatte, praktisch gleichzeitig mit dem Sprechen gelernt. Er verstand sie so rasch wie gewöhnliche Umgangssprache.

»Das Dorf ist eine reiche Beute«, sagte der Mann. »Palisade mit Türmen und Graben. Solide Häuser. Fettes Vieh. Feldarbeiter tragen Kleider – sogar die Frauen.« Falls es möglich war, bei dieser Berührung Enttäuschung zu übermitteln, fühlte Dahrin diese in der letzten Information. Dabei würde dieser Mann niemals etwas anderes tun als hinsehen; er hatte Ehre im Leib, und zudem fürchtete er Waydols und Dahrins Zorn.

Ja, ein Dorf, das so ausgestattet war, war wohlhabend. Es würde keine leichte Beute abgeben und hatte zweifellos einen Schutzherrn oder Fürsten, der für einen Überfall Rache suchen würde. Womöglich unterstand es sogar direkt der Herrschaft von Istar.

Sollten die Rächer doch durch den Wald brechen, wie es ihnen beliebte. Waydols Bande kannte Wege zur Festung, die niemand anders kannte, und dies nicht nur, weil sie viele davon selbst angelegt hatten. Seit Dahrin lebte, hatte der Minotaurus eine vorzügliche Bande aus schlauen und erfahrenen Männern aufgebaut, die er seinem Erben hinterlassen wollte. Darüber hinaus hatte er bewiesen, daß ein Minotaurus Menschen anführen konnte, sogar gegen sein eigenes Volk.

Was sein Erbe mit dieser Bande in den nächsten zwanzig Jahren anstellen sollte, war diesem selbst nicht recht klar, wie Dahrin vor einiger Zeit gemerkt hatte. Vorläufig reichte es aus, die Männer nicht träge werden zu lassen.

Wenn sie noch länger warteten, würde es ein nächtlicher Überfall werden, und das wollte Dahrin nicht. Ein nächtlicher Raubzug konnte nur stattfinden, wenn man bereit war, am Ort des Geschehens Feuer zu legen, damit man in den unbekannten Straßen und Wegen Licht hatte, um sich zurechtzufinden. Oder man brauchte einen Zauberer mit biegsamem Gewissen, der Beleuchtungssprüche beherrschte.

Was letzteres anging, hatte Dahrin keine Skrupel, bei dem ersteren hingegen eine ganze Menge. Aber sie hatten ohnehin keinen Magier in der Bande, so daß der Überfall jetzt stattfinden mußte. Sie würden darauf vertrauen, daß ihre Schnelligkeit ihre Gegner so gründlich verwirrte, wie es sonst in wenigen Stunden die Finsternis vermocht hätte.

Der Mann tippte Dahrin wieder auf die Hand. Dahrin nickte, hockte sich hin und gestattete dem kleineren Mann, auf seine Schultern zu springen. Dieser griff nach einem tiefhängenden Ast und begann sich hochzuziehen – genauso lautlos wie zuvor.

Dahrin blieb in der Hocke und sah zu, wie der Mann schnell wie ein Eichhörnchen im Geäst verschwand. In der Bande kannte man ihn unter dem Namen Schleicher; nach gewissen Lektionen fragte niemand mehr zu genau nach seinem Geburtsnamen. Vom Aussehen her stammte er höchstwahrscheinlich von Seebarbaren ab; man fand diese Kombination von Beweglichkeit und dunkler Haut selten bei anderen Rassen.

Schließlich hörte Dahrin von hoch oben ein leises Zischen. Das mußte Schleichers Kurzbogen sein, der einen Signalpfeil zweihundert Schritte durch den Wald schickte – dorthin, wo der Rest der Bande, in zwei Truppen aufgeteilt, wartete. Jede Truppe bestand aus zwanzig Räubern und würde nun eine bereits ausgekundschaftete Position außerhalb der Dorffelder einnehmen.

Der Angriff würde also von zwei Seiten her kommen, damit die Dorfbewohner ihre Verteidigung teilen mußten. Gleichzeitig würden die beiden Flügel in der Lage sein, einander zu helfen und die Menschen zwischen sich in den Feldern aufzugreifen, ehe sie das Tor erreichen konnten.

So weit hatte Dahrin alles klug geplant. Allerdings hatte Waydol ihn gelehrt: *Geh nie davon aus, daß dein Feind mit deinen Vorstellungen über die Art des Kampfes übereinstimmt.*

Dahrin duckte sich und lauschte auf Geräusche seiner Männer, die zum Angriffsort zogen. Er hörte nichts, was die meisten Horcher nicht als Waldgeräusche abgetan hätten, und er wußte, daß die jeweiligen Anführer jeden Lärm angemessen bestrafen würden. Nach einer Weile hörte er auf zu lauschen und rüstete sich zum Kampf.

Ein Mann von Dahrins Gestalt konnte vielen Gegnern schon dadurch Angst einflößen, daß er sich zu voller Größe aufrichtete. Dennoch hatte er keine Einwände gegen ein gutes Kettenhemd, denn er wußte, daß ein großer Mann auch ein großes Ziel bot. Außerdem setzte er einen guten, runden Helm mit einem von Zwergen gearbeiteten Nackenstück und zusätzlichem Nasenschutz auf, dazu kamen ein Schwert und ein Dolch.

Doch Dahrins wichtigste Waffen waren seine Unterarme und Fäuste, die von ellbogenhohen Handschuhen aus schwerem, aber geschmeidigem Leder über noch feinerer Rüstung geschützt wurden. Die Geschmeidigkeit mußte bei so dickem Leder auf Magie beruhen, oder vielleicht steckte hinter diesen Handschuhen eine andere Geschichte, jedoch verriet Waydol nichts davon, weder an dem Tag, als er sie Dahrin schenkte, noch jemals später.

Immerhin versetzten die Handschuhe Dahrin in die Lage, eine ganze Anzahl Gegner zu schlagen, aber nur wenige zu töten. Er verabscheute überflüssiges Morden noch mehr als Waydol und war kein Mensch, der Notwendigkeit erfand, wo es keine gab.

Schließlich hatte Dahrin nichts mehr zu tun, als seine Glieder für schnelle Bewegungen zu strecken und zu lockern, während er in der nach Wald duftenden Luft tief durchatmete. Der Wald roch hier anders als zu Hause, was zweifellos daran lag, daß sie weiter von der See entfernt waren und weniger Salz in der Erde und den modernden Blättern steckte –

Zack!

Dahrin blickte auf. Ein Pfeil, der wie der Zwilling von Schleichers Pfeil aussah, blieb zitternd genau unter dem zweiten Ast von unten stecken. Einen Augenblick später huschte Schleicher aus dem Baum und riß unterwegs noch den Pfeil aus dem Stamm heraus.

Beide Männer nickten. Die zwei Truppen standen bereit. Jetzt mußten nur noch Dahrin und Schleicher ihre Positionen einnehmen, von denen aus sie das Signal zum Angriff geben sollten.

Die beiden Männer verschwanden lautlos, aber rasch hintereinander im Wald.

Ein Dörfler mit scharfen Ohren mußte aus Richtung Wald etwas vernommen haben, aber Mut oder Dummheit hielten ihn zurück. Oder vielleicht war er auch nicht sicher, was er da gehört hatte, und wollte sich nicht mit einer falschen Warnung zum Narren machen.

Der Mann fiel, bevor er dazu kam, einen Warnruf auszustoßen, als eine Schleuderkugel zwischen den Bäumen hervorschoß und seinen Schädel traf. Dahrin wartete einen Moment ab, ob die anderen Arbeiter den Sturz des Mannes bemerkt hatten und ob sie flohen oder zu seiner Rettung angelaufen kamen.

Wenn sie kamen, würden sie nicht so leicht herausfinden,

was ihm zugestoßen war. Die Schleuderer aus Dahrins Bande hatten Kugeln aus feuergehärtetem Ton dabei, die einen Mann bewußtlos schlagen und dabei selbst zu Staub zerfallen konnten.

Wenn die Dörfler hingegen flohen –

Sie taten gar nichts. Vielleicht hatte keiner den Mann fallen sehen; vielleicht glaubten sie, ihr Freund hätte sich vor Müdigkeit hingelegt; vielleicht waren sie am Ende eines langen, mühsamen Tages schon so erschöpft, daß sie nur noch an ein heißes Bad und ein kühles Bier daheim denken konnten.

Dahrin leckte sich über die trockenen Lippen. Er selbst hatte noch nie etwas Stärkeres als Wasser – bei Gesundheit – oder Kräutertee – bei Krankheit – getrunken, aber er verstand Müdigkeit und Durst mindestens ebensogut wie diese Menschen. Ihm kam es fast ehrlos vor, einen derartigen Vorteil auszunutzen – doch er hatte die Posten auf der Einfriedung vergessen.

Denn plötzlich schien einer dieser Posten den Gefallenen bemerkt zu haben. Er zeigte mit seinem Speer auf ihn und legte die andere Hand an den Mund. Dahrin verstand nicht, was er über das Feld rief, doch er hörte das Drängen in der Stimme des Mannes.

Jetzt trat Dahrin ins Freie und schlug mit den Fäusten gegen die Bäume rechts und links von sich. Der Wald spie Menschen in vielen Schattierungen von Rostrot, Grün und Braun aus, alle bärtig, langhaarig. Manche von ihnen hatten mehr oder weniger große Anteile Elfenblut, und auf den Schultern eines Mannes, der fast so groß war wie Dahrin, ritt ein Kender, der seinen Träger mit einem Staubwedel aus Federn bearbeitete.

Sie stießen kein Kriegsgeschrei aus; das einzige Geräusch war das von über vierzig rennenden gestiefelten Angreifern. Zum Schreien blieb ihnen dabei wenig Luft; außerdem war es bei Waydols Bande Brauch, daß bis zum ersten Blutvergießen Ruhe herrschte.

16

Das würde nicht mehr lange dauern; schon jetzt legten die Posten Pfeile auf. Dahrin hob die linke Hand und richtete die Handfläche nach unten. Seine Schützen nahmen ihre Bögen von der Schulter, öffneten die Köcher und zogen Pfeile heraus, ohne auch nur einen Deut langsamer zu werden. Erst als es Zeit wurde, die Pfeile anzulegen und zu schießen, hielten sie an, um besser zielen zu können. Dahrins Bande hatte nicht annähernd genug Schützen für einen Pfeilhagel, der zudem zu unnötigen Morden geführt hätte – sosehr man das manchmal auch hätte brauchen können.

So kippten augenblicklich zwei Posten von der Palisade, und einer verschwand nach hinten, während nur einer von Dahrins Männern mit einem Pfeil im Bein zu Boden ging. Inzwischen holte die Reihe der Angreifer die fliehenden Dorfbewohner ein. Bevor Dahrin die Führung übernehmen konnte, sah er, wie seine Männer anfingen, ihre Gefangenen niederzustrecken, jeder auf andere Weise.

Manche Männer benutzten Keulen oder die Fäuste. Ein Mann warf sich eine Frau über die Schulter und klatschte ihr hörbar auf den Hintern; man konnte nicht unterscheiden, ob sie dabei schrie oder lachte.

Schleicher benutzte seine Bolas, die er halb nach dem Muster der Barbaren aus den Ebenen, halb nach Kenderart entworfen hatte. Nachdem er beide geworfen hatte, zog er eine beschwerte Gaffel aus dem Gürtel und brachte damit zwei weitere Dorfbewohner zur Strecke.

Jetzt wurde es ausgesprochen wichtig, die Dorfbewohner davon abzuhalten, ihr Tor zu schließen. Ein gutes Dutzend ihrer Leute waren noch draußen und damit noch nicht in Sicherheit, doch vom Wachturm aus und innerhalb der Dorfmauer schrien die Menschen: »Sofort das Tor schließen!«

Dahrin durchbrach die Reihe der flüchtenden Dörfler, wobei er mit seinem Handschuh einen Dolchstoß abwehrte. Er erreichte das Tor gerade, als es schwerfällig zuschwang, stemmte sich mit beiden Händen dagegen, holte tief Luft und drückte mit aller Kraft.

Das Tor ging wieder weit auf, und gleich darauf schossen zwei von Dahrins Bogenschützen auf die Männer, die im Eingang standen. Dahrin sprang vor, schnappte sich den Torriegel, der zweimal so lang war wie er selbst und so dick wie sein Bein, hielt ihn wie einen Schlagbarren und hieb damit um sich.

Er traf nicht viele. Einige fielen vor Angst zu Boden oder warfen sich gleich hin, um sich zu retten, während andere die Flucht ergriffen. Innerhalb weniger Augenblicke waren alle Dorfbewohner, die man vor dem Tor erwischt hatte, Gefangene, und das Tor stand den Räubern offen.

Dahrin wollte den Befehl zum Betreten des Dorfes erst geben, nachdem die Bewohner eine Chance gehabt hatten, sich zu ergeben. Selbst ein noch so kurzer Nahkampf konnte mehr Leichen in den Straßen des Dorfes hinterlassen, als ein ehrenhafter Mann sich wünschen konnte.

Dahrin legte beide Hände an den Mund. Seine Stimme entsprach nicht ganz seiner überwältigenden Erscheinung – was ganz gut war, wie Waydol fand, sonst wäre die Hälfte seiner Kameraden mittlerweile taub gewesen –, aber sie war deutlich zu vernehmen.

»Holla, ihr Bewohner von Dinsas! Ihr seid in unserer Gewalt, und wir fordern euch auf, euch sofort zu ergeben. Wenn ihr die Waffen streckt, werdet ihr wenig verlieren, und wir werden kein Blut vergießen. Wenn ihr dagegen weiterkämpft, erwartet euch ein härteres Los.«

Erst als ein langes Schweigen folgte, fiel dem Räuberhauptmann ein, daß diese Dorfbewohner die Sprache von Istar, die auch noch durch seinen minotaurischen Akzent eingefärbt war, womöglich nicht verstanden. Dinsas war der entfernteste Ort, den er und seine Männer je überfallen hatten, und doch mußte es eigentlich zu dem Gebiet gehören, das direkt von Istar oder von Städten, die seine Sprache sprachen, besiedelt war. Aber jedes Land hatte Dörfer, in denen die Menschen ihre eigenen Wege gingen, eine eigene Sprache hatten und auf höfliche Aufforderungen von Fremden, die sie nicht verstehen konnten, unhöflich antworteten.

Das Schweigen zog sich weiter hin. Ein paar von Dahrins Männern hoben den Torriegel auf; ein Rammbock war bei einem Überfall immer nützlich, im Wald jedoch schlecht mitzuführen.

Schließlich tauchte ein kleinwüchsiger Mann mit rotem Bart im Eingang auf und sah Dahrin an. Er trug ein gutgepflegtes Schwert, das er sich hastig über seine Schusterschürze gehängt hatte.

»Mein Name ist Hurvo, Sprecher von Dinsas. Wer bist du?«

Dahrin sah auf den Mann herab. Hurvo ähnelte, bis hin zu den schwieligen Händen, eher einem übergroßen Zwerg als einem kleingewachsenen Menschen. An Mut schien es ihm jedoch nicht zu mangeln.

»Ich bin der, der euer Dorf in Besitz genommen hat«, erwiderte Dahrin in gemessenem Ton. »Ich und meine Männer wollen an dem teilhaben, was innerhalb dieser Einfriedung liegt.«

»Ihr besitzt das Tor zu Dinsas, weiter nichts«, gab Hurvo mit ebenso beherrschter Stimme zurück. »Was möchtet ihr für den kleinsten Teil des Rests bezahlen?«

»Soviel wie nötig, und wenn es zuviel wird, werden wir alles besitzen, sobald das Zahlen erledigt ist. Dich betrifft das weniger, denn außer deinen Grabkleidern wirst du dann nicht mehr viel brauchen.«

»Oh, ihr wollt uns also nicht fressen?« sagte Hurvo.

Der Kender tat so, als würde er sich über den großen Mann, der ihn auf den Schultern trug, übergeben. Der Mann setzte ihn eilig ab.

19

»Ein Kender!« sagte jemand mit Abscheu in der Stimme. Dahrin sah, daß zahlreiche Dorfbewohner aus den Häusern und Gassen getreten waren und sich hinter Hurvo gestellt hatten.

»Imsaffor Sauseschritt«, stellte der Kender sich vor und machte eine vollendete Verbeugung, die zu einem Handstand wurde, der wiederum in einen Salto mündete. Er blieb dicht vor Hurvo stehen. Ein paar Leute traten einen Schritt zurück.

Dahrin gab seinen Schützen schweigend ein Handzeichen. Der erste, der versuchte, Sauseschritt als Geisel zu nehmen, würde einen Pfeil in den Magen bekommen. Wahrscheinlich würde er auch Sauseschritts Dolch an einem weniger gefährlichen, aber bestimmt schmerzhaften Ort zu spüren kriegen, falls er den Pfeil überlebte.

Kender kannten keine Angst, wofür es viele Erklärungen gab, von denen manche eher phantasievoll als wahr waren. Eine Erklärung, an der nach Dahrins Einschätzung etwas Wahres dran sein mochte, lautete, daß es nicht leicht war, einen Kender umzubringen, wenn er ernsthaft etwas dagegen hatte.

»Dann müßt ihr der Erbe des Minotaurus und seine Bande sein«, sagte Hurvo und zupfte an seinem Bart, als ob er den Preis für das Flicken eines Schuhs festzulegen versuchte. »Ihr seid ziemlich weit nach draußen geraten, was?«

»Wir sind bis Dinsas gekommen, und das ist alles, was für uns im Augenblick zählt«, antwortete Dahrin. Er merkte, wie die Ungeduld sich in ihm breitmachte, bemühte sich aber, sie sich nicht an seiner Stimme anmerken zu lassen.

Laß niemals den Eindruck entstehen, daß man dir die Stirn bieten kann, indem man die Dinge hinauszögert. Das war eine andere Lehre von Waydol, die sich schon bei so manchem Scharmützel, Kampf oder Überfall als wahr erwiesen hatte.

»Ich werde deine Bedingungen anhören«, sagte Hurvo. »Daß ich sie anhöre, heißt nicht, daß wir sie auch annehmen.

20

Ebensowenig bieten wir euch unser Dorf an, selbst wenn wir euch jetzt etwas zu trinken anbieten. Aber wir müssen ja nicht mit trockener Kehle miteinander kämpfen.«

Das Wasser war kalt und frisch und das Bier – dem billigenden Raunen der Leute nach zu urteilen – gut. Außerdem probierte Hurvo den ersten Becher aus jedem Faß, ehe er jemand anderen trinken ließ.

»Und nun sprich, Erbe des Minotaurus – oder ziehst du einen anderen Namen vor?« fragte Hurvo, als er sich den Schaum vom Bart wischte.

»Dieser Name ehrt den, der mich aufgezogen hat, am meisten …« setzte Dahrin an.

Zahlreiche Dorfbewohner zischten. Einer machte eine abfällige Geste und warf seinen Becher hin.

Hurvo seufzte. »Wir haben uns schon oft darüber gestritten, Speko – öfter, als du zählen kannst, ohne deine Stiefel auszuziehen. Von mir aus kann er der Erbe eines Roten Drachen sein, aber er ist nun mal hier, und deshalb sollte man ihn klugerweise anhören.«

Dahrin sprach schnell, bevor Speko oder ein anderer die Dinge noch komplizierter machen konnte. »Unsere Bedingungen sind einfach. Wir werden aus jedem Haus und Geschäft ein oder zwei wertvolle Dinge mitnehmen, dazu einen bestimmten Betrag in Münzen für das gesamte Dorf. Außerdem essen und trinken wir heute abend und morgen früh vor unserem Aufbruch, wie es uns beliebt. Solange unseren Leuten kein Haar gekrümmt wird, werden wir euch auch nichts tun. Wir werden euch sogar helfen, eure Verwundeten zu versorgen. Aber für jeden Verletzten unter meinen Männern ist ab sofort ein Dörfler-Leben verwirkt. Wenn ihr uns zum Kampf zwingt, wird das Dorf niedergebrannt, über euren Köpfen oder nicht, wie es die Götter gestatten.«

Hurvo runzelte die Stirn. »Steht euch ein Zauberer oder Kleriker mit Heilmagie zur Verfügung?«

»Nur die Heilkünste der Waldbewohner, die schnell gesund werden oder sterben müssen«, antwortete Dahrin. Er fühlte einen gewissen Zwang zur Aufrichtigkeit gegenüber diesem selbstbewußten Dorfsprecher, dessen ungerührtes Gesicht ihn allmählich an Waydol erinnerte.

»Dann sei es so, wenn das Dorf zustimmt«, sagte Hurvo. »Ich kann auch allein entscheiden, wenn die Zeit drängt, aber es bestehen größere Aussichten auf Frieden, wenn ich die führenden Bürger anhören kann.«

Die Sonne war am Sinken, aber Finsternis machte weder den Frieden blutig noch eine Schlacht leichter. Ebensowenig würden Hurvos scharfe Augen Übereifer übersehen.

Dahrin nickte. »Beratet nicht zu lange, sonst steigt der Preis. Aber ihr habt Zeit, bis die Sonne die Wipfel des Baumes da drüben berührt.« Er zeigte auf einen Baum an der Südwestecke der Felder, der wie ein junger Vallenholzbaum aussah.

Hurvo nickte und führte seine Dörfler in den Schatten zurück. Dahrin befahl rasch, Keile unter das Tor zu treiben, um es offen zu halten. Ein paar seiner Bogenschützen kletterten auf die Tortürme.

Der Rest der Männer hielt Wache, kümmerte sich um die Gefangenen und stattete den Riegel mit Handgriffen aus, um einen nützlicheren Rammbock zu haben. Selbst wenn Dinsas sich unterwerfen sollte, gab es erfahrungsgemäß immer jemanden, der seinen Schlüssel verloren hatte, davongelaufen oder umgekommen war, so daß man die Wertsachen hinter einer verschlossenen Tür nicht auf einfache Art erreichen konnte.

Hurvos Diskussion mit den Dörflern nahm beinahe die gesamte gestattete Zeit in Anspruch und auch einen Großteil von Dahrins verbliebener Geduld. Der Anführer der Räuber saß

22

gerade auf dem Rammbock und wetzte das Schwert, das er bei diesem Raubzug noch nicht im Zorn gezogen hatte, als Hurvo wieder auftauchte.

»Wir fügen uns euren Bedingungen«, sagte er. Dann sah er Imsaffor Sauseschritt an. »Behaltet den Kender am besten dicht bei euch.«

»Ich gehöre zu dieser Bande und gehe, wohin es mir beliebt«, entgegnete Sauseschritt. »Wenn euch das nicht paßt ...«

»Alles, was ihm zustößt, stößt einem von uns zu«, sagte Schleicher, der niemals die Stimme erhob, nicht einmal im Kampf. Dennoch sah Dahrin, daß Hurvo seinen Bart besonders fest hielt, ehe er nickte.

Danach verlief der Abend ohne Zwischenfälle, soweit man das überhaupt sagen kann, wenn ein Dorf von einer Räuberbande ausgeplündert wird, so gesittet diese sich auch verhält. Es half, daß Dahrins Männer größtenteils freiwillig nüchtern blieben, obwohl ihr Anführer in dem Beutestapel eine ganze Menge Wasserflaschen bemerkte. Er hätte wetten mögen, daß die meisten davon Dinsas am nächsten Morgen, mit Bier oder Wein gefüllt, am Gürtel eines Mannes verlassen würden.

Ein Mann fand einen Krug Met und leerte ihn, noch ehe er wieder auf die Gasse hinaustaumelte. Dahrin ließ ihn in einen unbenutzten Brunnen werfen und zog ihn erst wieder herauf, als er zutiefst verängstigt, halb ertrunken und etwas nüchterner war. Der Hauptmann hoffte, der Mann würde morgen mitmarschieren können. Er hatte noch bei keinem Überfall einen Lebenden zurückgelassen, aber Betrunkene waren immer eine Last.

Imsaffor Sauseschritt war hier und da und überall, selten länger in Dahrins Blickfeld, als der Hauptmann brauchte, um sich zu vergewissern, daß der Kender noch am Leben war. Dahrin schwor sich, dem Dorf des Kenders eine Nachricht zukommen zu lassen, obwohl jedes Wort, das nach System und Ordnung klang, im Zusammenhang mit Kendern fehl am Platz schien. Immerhin lag das Dorf nicht viel weiter als einen Tagesmarsch von Dinsas entfernt, wenn es auch schwer zu finden war, falls die Kender keinen Besuch wünschten. Dahrin fand, sie sollten erfahren, daß das Gift des Hasses gegenüber Nichtmenschen den ganzen Weg von Istar bis Dinsas vorgedrungen war, und daß die Kender vor ihren ehemals freundlichen Nachbarn auf der Hut sein sollten.

Dann entschied er, die Warnung Sauseschritt zu überlassen, falls die Kender dieser Gegend nicht ohnehin schon auf eigenen Wegen alles erfuhren, was sie erfahren mußten. Sie würden auch ihre eigenen Methoden haben, mit feindlichen Nachbarn fertig zu werden, und wenn jemand ihn zu einer Wette aufgefordert hätte, hätte Dahrin nicht gegen die Kender gesetzt.

Eine Weile nach Einbruch der Dunkelheit tauchte Sauseschritt zum letzten Mal wieder auf. Inzwischen war der Dorfplatz von Fackeln und Lagerfeuern hell erleuchtet, und die Beute bildete in der Mitte einen glitzernden Stapel. Der Kender hangelte sich Hand um Hand an einem vorstehenden Dachbalken entlang bis zu dessen beschnitztem Kopf, dann ließ er sich auf den Boden fallen und schlug vor der Landung noch einen Salto.

Dahrin sah von seinem Teller auf, auf dem ein Stück Fleischpastete, Grütze und ein in Zwiebeln eingelegter Fisch lag. »In einem einzigen Haus waren wir noch nicht, und das ist verschlossen«, berichtete Sauseschritt.

Die Männer lachten. »Du bist nicht reingekommen – und du willst ein Kender sein?« sagte einer.

Verletzt sah Sauseschritt ihn an. »Man hat mir gesagt, ich sollte für diesen Überfall kein Werkzeug mitbringen. Ich …« Er wühlte in seiner Manteltasche herum. »Na so was. Ich muß wohl vergessen haben, meine Taschen auszuleeren, bevor wir aufgebrochen sind. Mal sehen.«

Eine ganze Menge Dinge tauchten aus seinen Taschen auf, einschließlich etlicher Dietriche und einer kleinen, glänzenden Metallkugel.

«He, das ist ja eine meiner Bolakugeln«, sagte Schleicher. Für einen Seebarbaren war er klein, aber vor dem Kender konnte er sich dennoch bedrohlich aufbauen.

»Wirklich? Wenn ich's mir recht überlege, sieht sie aus, als käme sie von einem Schiff. Ich muß sie mal ans Licht halten und ...«

Schleicher klopfte dem Kender mit seiner Gaffel von unten an den Arm. Die Kugel flog in die Luft. Schleichers Hand schnappte sie sich und steckte sie weg, noch bevor sie mehr als eine Handbreit fallen konnte.

»Du solltest wirklich deinen Namen auf die Sachen schreiben, die du herumliegen läßt«, begann Sauseschritt irritiert. »Sonst gibt es so ein Durcheinander ...«

Dahrin hielt eine Hand hoch, um ihn zum Schweigen zu bringen. Hurvo war auf den Platz getreten.

»Ja, Sprecher?«

»Ich habe gehört, daß ihr von einem verschlossenen Haus gesprochen habt. Ist der Kender ... äh ... wie üblich damit verfahren?«

»Nein.«

»Gut für ihn. Das ist das Haus von Sirbones, unserem Priester der Mishakal.«

»Warum ist er dann nicht herausgekommen und hat uns geholfen? Wir haben genug Arbeit für drei Heiler, möchte ich meinen.«

»Äh ... wir haben unsere Verwundeten ... äh ... heimlich zu ihm gebracht. Er hat seit der Dämmerung alle Hände voll zu tun.«

Dahrins erster Gedanke war, für diese Täuschung einem Dorfbewohner – vorzugsweise Hurvo – das Leben zu nehmen.

Dann wurde ihm klar, daß von Sirbones in der Abmachung keine Rede gewesen war. Es wäre ehrlos gewesen, das Dorf zu bestrafen, weil es etwas nicht gewährt hatte, was man nicht von Anfang an gefordert hatte!

Außerdem war keiner der Angreifer tot oder auch nur lebensgefährlich verletzt. Zwei brauchten einen Heiler, um wieder laufen zu können – einer wegen einer Pfeilwunde, der andere, weil einer der Gefangenen ihn ins Bein gebissen hatte –, und einige andere würden besser marschieren können, wenn sie vorher eine Behandlung empfangen hatten.

Dahrin holte tief Luft. »Wenn er mit euren Leuten fertig ist, soll er herkommen und meine heilen.«

«Ich kann ihm nichts befehlen. Das war nicht Teil unserer Abmachung.«

»Du hast ein gutes Gedächtnis«, sagte Dahrin.

Hurvo lächelte. »Für einen Dorfbewohner eigentlich gar nicht. Mein Großonkel – also, der hatte ein Gedächtnis! Er konnte sich alle Verkäufe und Ankäufe auf einem dreitägigen Dorfmarkt merken, ohne eine einzige Zahl auf eine Holztafel zu schreiben. Natürlich konnte er ohnehin nicht schreiben, aber ...«

«Das klingt ganz nach meinem Onkel Fallenspringer«, warf Sauseschritt ein. »Einmal mußte der in einem Wettstreit entscheiden ...«

Dahrin machte einen Laut, der den beiden deutlich zu verstehen gab, wie unklug es wäre, diesen Wettstreit der wunderbaren Onkel fortzusetzen.

Hurvo machte kehrt und führte die anderen zum Haus des Heilerklerikers. Diesmal ritt Sauseschritt auf Dahrins Schultern.

Das Haus war klein, es hatte nur zwei Zimmer, einen Holzstapel außen an der Rückwand und einen gut gemauerten Schornstein, aus dem jetzt nach Kräutern duftender Rauch in den Nachtwind aufstieg. Die Tür war angelehnt, und im Fackellicht sah Dahrin, daß sie mit ein paar blauen Farbklecksen versehen war.

Wenn man genauer hinsah, konnte man das geschnitzte Bildnis einer Frau erkennen, die einen Stab hielt. Es war schwer zu sagen, ob sie bekleidet sein sollte oder nicht. Da Mishakal als eher züchtige Göttin galt, entschied Dahrin, daß sie wohl bekleidet sein mußte. Er befand auch, daß der Schnitzer wohl noch nie eine Frau gesehen hatte, gleichgültig ob bekleidet oder nicht.

Dann klopfte er an.

Zwei halbwüchsige Mädchen, die einen älteren Mann stützten, tauchten auf der Schwelle auf. Der Mann hinkte, wirkte ansonsten aber gesund. »Sei gesegnet, Sirbones«, sagte eines der Mädchen. »Ich weiß nicht, was Vater … oh!«

Dahrin trat zur Seite. Die anderen huschten an ihm vorbei, ohne seine hünenhafte Gestalt aus den Augen zu lassen. Es dauerte eine Weile, ehe er einen kleinen Mann mit einem Kopf voll glatter, silberweißer Haare auf der Schwelle stehen sah.

»Äh … bist du Sirbones?«

»Oh. Ja. Hurvo hat mich schon vor euch gewarnt. Er hat nicht ganz die Wahrheit gesagt; ich bin mit den Dorfbewohnern noch nicht fertig. Aber ich habe alle Verwundeten versorgt und auch die normalen Kranken. Kyloth war für heute der letzte, und für ihn bräuchte man einen größeren Heiler, als ich es bin, um ihm den Gang seiner Jugend wiederzugeben. Derjenige, der seinen Knöchel zum ersten Mal geheilt hat, hat einen Teil des Spruches an den Knochen gebunden, was damals zweifellos ganz sinnvoll aussah und es bestimmt auch gewesen wäre, wenn die Heilung anständig durchgeführt worden wäre …«

Irgendwann konnte Dahrin den Priester doch noch auf sich

aufmerksam machen, wenn auch erst, nachdem er sich so vorkam, als ob er einem älteren Gnomen zuhörte, der seinen gesamten Namen aufsagte. Tatsächlich sah Sirbones mehr wie ein übergroßer Gnom aus, genau wie Hurvo einem großen Zwerg ähnelte – hatte man sich in dieser Gegend in längst vergangenen und völlig vergessenen Tagen etwa nicht nur mit Elfen verbrüdert? *Ein netter Scherz, wenn ein paar von denjenigen in Dinsas, die Nichtmenschen hassen, selbst das Blut von Elfen oder Gnomen, Kendern oder Zwergen in sich haben sollten!* dachte Dahrin.

Aber ein Hauptmann von Männern, die Heilung benötigen, hat keine Zeit für Scherze oder dafür, brabbelnden Klerikern zuzuhören. Ein Hauptmann, der gelobt hat, keinem Priester etwas zuleide zu tun – und weiß, daß Drohungen ihnen gegenüber ebenso wirkungslos sind wie Drohungen gegenüber Kendern –, muß jedoch auch überaus geduldig sein.

Dahrin schien es, als wäre der Frühling längst in den Sommer übergegangen, ehe Sirbones endlich still wurde. Der Priester sah zu der gewaltigen Gestalt vor sich hoch und sagte in ganz anderem Tonfall: »Wie viele deiner Männer brauchen eine Heilung, und was für Verletzungen haben sie?«

Dahrin verschwendete keine Zeit mit langem Überlegen, besonders weil der Zustand seiner Verwundeten immer das erste war, was er sich nach einem Kampf einprägte. Er hätte ihn sogar betrunken oder auf dem Sterbebett liegend aufsagen können, und nun antwortete er ohne Umschweife.

Er hatte noch gar nicht richtig gemerkt, daß der Priester verschwunden war, da tauchte Sirbones mit seinem Stab und einer kleinen Tasche auch schon wieder auf. Der Stab schien aus einfachem, poliertem Holz zu bestehen, und er hatte eine blaue Glasspitze – nur daß dieses Glas leuchtete wie ein geschliffener Edelstein, und daß in seinem Blau eine winzige Gestalt zu tanzen schien.

»Führe mich zu deinen Männern.«

»Ich muß innerhalb der Einfriedung bleiben, bis wir fertig sind«, sagte Dahrin. Er zog einen Ring heraus und reichte ihn dem Kleriker. Der Ring war aus Silber, und ein Delphin war darin eingraviert. Waydol hatte ihn am kleinen Finger seiner linken Hand getragen, bis er ihn Dahrin zu seinem zehnten Geburtstag geschenkt hatte. »Das ist ein Zeichen, daß du mit meiner Erlaubnis kommst und daß dein Heilen rechtmäßig ist.« Dahrin versuchte, ein finsteres Gesicht aufzusetzen. »Wenn letzteres nicht der Fall sein sollte und wenn du angesichts des Zorns meiner Männer lange genug lebst ...«

»Natürlich, natürlich. Ich bin ein weitgereister Mann, und ich habe lange in fernen Ländern gelebt, bei Männern, die viel weniger höflich waren als ihr. Ich weiß noch, wie einmal ...«

Dahrin zeigte zum Tor und murmelte ein inbrünstiges Gebet an verschiedene Götter, daß Sirbones *nicht* wieder ins Schwatzen geraten möge.

Bis er sein Gebet beendet hatte, war der Kleriker verschwunden.

Dahrin sah den Priester der Mishakal erst am anderen Morgen wieder. Als er und die Männer im Dorf ihre Beute und ihr Frühstück zusammenpackten und sich außerhalb der Dorfmauern versammelten, war Sirbones mit den verwundeten Räubern bereits fertig. Keiner von ihnen war so wohlauf wie vor seiner Verwundung, aber alle konnten kämpfen und laufen.

»Ich frage mich, ob dieser Heiler schwach ist oder ob er für uns bloß nicht sein Bestes gibt«, meinte Schleicher.

»Verrat ist bei einem Priester der Mishakal schwer vorstellbar«, sagte Dahrin und machte eine abwehrende Handbewegung. »Was Schwäche oder Verwirrung angeht – dieses Schicksal kann jeden ereilen. Dagegen ist nicht einmal ein Heiler gefeit.«

Schleicher schien eine Erwiderung auf der Zunge zu liegen, aber dann kam einer der Räuber mit einem Krug Quellwasser, das er mit Apfelwein und zerkrümelten Kräutern gemischt hatte. Es war dies ein Erfrischungsgetränk, das nicht nur Dahrins Durst löschte, sondern dem Räuberhauptmann auch bewußt machte, wie lange er seit Tagesanbruch gearbeitet hatte (das Wort »Kämpfen« hatte seine Arbeit kaum verdient).

Dahrin zog seine Handschuhe aus, wickelte sie in seinen Mantel, legte sich auf dieses harte Kissen und schlief fast augenblicklich ein.

Als er aufwachte, stand Sirbones praktisch über ihm, so nahe, daß Dahrin nach seinem Knöchel greifen und den kleinen Priester hätte umwerfen können. Dann hörte er Jammern und Klagen aus dem Dorf.

Er sprang auf und legte eine Hand an den Knauf seines Schwerts. Wenn er es ohne zu überlegen zog, konnte er vielleicht die falsche Entscheidung treffen. »Wer weint da und warum?«

»Oh, das sind Leute aus Dinsas. Sie weinen um sich und um mich.«

»Um dich?« Dahrin sah auf den Priester hinab. Er wirkte kerngesund, aber bei einem Priester der Mishakal konnte das natürlich auch täuschen.

Sirbones lachte. Es war das Lachen eines Mannes, der jünger aussah als am Vorabend. Dahrin bemerkte auch erstmals, daß Sirbones reisefertig war. Er trug Hosen und einen lockeren Mantel, hatte einen Packen auf dem Rücken und mehrere Beutel an einem ordentlichen Gürtel. Über den Packen hatte er seinen Stab geschwungen, und an den Füßen trug er feste Schuhe anstelle der Sandalen. In einer Hand hielt er einen Wanderstab mit silbernem Knauf.

»Nein. Ich bin nicht krank und nicht tot, und du redest weder mit einem Geist noch mit einem Überträger der Pest. Du sprichst nur mit einem, der seine Reise mit euch fortsetzen will.«

Die Art, wie Sirbones »Reise« sagte, schien diesem Wort eine rituelle Bedeutung zu verleihen. Dahrin fiel ein, daß jeder Priester der Mishakal als Teil seines Priestertums einige Jahre auf Wanderschaft gehen mußte. Vermutlich sollte er sich von Sirbones Ankündigung geehrt fühlen. Jedenfalls würde er dankbar sein, wenn dieser Priester weiterhin gute Arbeit leistete und die Männer nicht ebenso schnell totredete, wie er sie heilte.

»Aha. Was sagen denn die Dorfbewohner dazu?«

»Nichts.« Dann fügte Sirbones hastig hinzu: »Das heißt, sie können nicht gegen meine Pflichten als Priester der Mishakal und personifizierter Wille der Göttin einschreiten. Sie sind allerdings nicht glücklich darüber und prophezeien uns ein schlimmes Schicksal, wenn ich mit dir in die Höhle des Minotaurus ziehe.«

»Waydol hat keine Höhle«, entgegnete Dahrin. »Er wohnt in einer Hütte über der Küste wie ein zivilisiertes Wesen. Und er wird dir auch nichts tun, wenn du ihm nicht so die Ohren vollschwatzt wie mir.«

»Ach, das ist ein Laster, das einen befällt, wenn man zuviel Zeit mit sich selbst verbringt«, sagte Sirbones. »Aber wer sich selbst nicht liebt, der ist ein schlechter Heiler, denn dann liebt er niemanden. Außerdem hat man auf einer Reise meist nur sich selbst zum Begleiter.«

»Wie lange bist du denn schon auf deiner Reise, falls diese Frage erlaubt ist?«

»Gewiß«, sagte Sirbones. »Ich habe den Tempel der Drei Seen in Solamnia diesen Sommer vor sechsundzwanzig Jahren verlassen.«

»Und wie lange warst du unterwegs, ehe du in den Tempel zurückgekehrt bist?«

»Ich muß erst noch zurückkehren, mein junger Riese. Ich habe erkannt, daß die Göttin mich umso mehr begünstigt, je weiter ich mich von Tempeln fernhalte. In Dinsas war ich volle drei Jahre, die längste Zeit, die ich seit Verlassen des Tempels an einem Ort verbracht habe. Es wurde Zeit, daß ich weiterziehe.«

Dahrin bückte sich, bis seine Augen fast auf gleicher Höhe mit denen von Sirbones waren. »Ich bin nicht sicher, ob ich nicht die … unsere Beute von heute nacht zurückgeben sollte. Wenn ich dich schon nicht zurückschicken kann …«

Sirbones schüttelte nachdrücklich den Kopf. »Das kannst du nicht. Außerdem bist du durch nichts verpflichtet, den Dorfbewohnern ihre Schätze zurückzugeben, die nur einen Bruchteil ihres Besitzes darstellen. Es würde deinen Männern mißfallen, und deren Loyalität wirst du auf der langen Heimreise noch brauchen. Zudem wird Waydol noch jeden Mann unter seinem Kommando brauchen, und zwar bald.«

Dahrin stand auf. »Du bist ein Prophet?«

»Ich habe nur das Wissen, das ich von deinen Männern beim Heilen erfahren … urggg!«

»Aaarggg!«

Der erste Schmerzenslaut stammte von Sirbones, den Dahrin am Kragen gepackt hatte und mit ausgestrecktem Arm herunterbaumeln ließ. Der zweite stammte von Dahrin, nachdem Feuer durch seinen Arm zu schießen schien und Arm und Hand gleichermaßen schlaff machte, so daß er Sirbones zu Boden fallen lassen mußte.

Der Priester rappelte sich auf, während Dahrin sich noch seinen Arm rieb. »Mir fehlt die Kraft, so etwas jeden Tag zu machen, und du kannst es dir nicht leisten, jeden Tag verletzt zu werden«, sagte Sirbones streng. »Ich habe nicht heimlich die Gedanken deiner Männer gelesen. Ich habe nur zugehört, als sie sich unterhielten. Ich habe ihr Wissen und meines zusammengesetzt, und dabei kam die Erkenntnis heraus, daß Waydol Hilfe braucht.«

Dahrin seufzte. »Nun, wenn ich dich nicht zurückschicken oder davon abhalten kann, mir zu folgen«, stellte er fest, »dann ist es wohl das Beste, wenn du mit uns ziehst. Du kannst doch hoffentlich Schritt halten?«

»Darin kannst du mir ruhig vertrauen«, sagte Sirbones. Er klang zum Verrücktwerden selbstgefällig.

Dahrin sah dem Priester nach, als der zu den versammelten Männern lief. Er rieb sich den Arm und merkte, daß der Schmerz so schnell verflogen war, wie er gekommen war. Genaugenommen waren auch alle Schmerzen von den gestrigen Anstrengungen verschwunden, nicht nur aus seinem Arm, sondern auch aus dem ganzen restlichen Körper. Selbst der leichte Anflug von Ruhr nach dem verdorbenen Wasser vor zwei Tagen war weg.

Dahrin begann seine eigenen Sachen zusammenzusuchen. Er war immer noch nicht sicher, ob Sirbones' Auftauchen daheim nicht dem Auftauchen eines Eulenbären im Schafpferch gleichen würde. Aber er konnte sich kaum vorstellen, daß der Minotaurus und sein Erbe zusammen nicht mit praktisch allem außer Mishakal persönlich fertig werden würden!

Kapitel 2

»Alles scheint in Ordnung zu sein«, sagte Sir Niebar. »Ich bedaure, daß es so lange gedauert hat, bis ich ganz sicher war.«

Sir Pirvan von Tiradot runzelte die Stirn. »Wollt Ihr damit andeuten, daß unsere Bücher nicht stimmen?« Er hoffte, daß sein Tonfall eher das Gefühl der Verletztheit vermittelte als eine Flucht in die Maxime des Maßstabs, daß kein Ritter einen anderen jemals bewußt beleidigen würde.

Aber wenn alle Ritter zu allen Zeiten jedem einzelnen Teil des Maßstabs entsprochen hätten, wäre die Ritterschaft von Solamnia und die Welt seit langem entweder perfekt oder bei dem Versuch, zu viele unterschiedliche Regeln gleichzeitig zu befolgen, verrückt geworden.

Die Diebe von Istar waren schon immer auf ein komplexes, umfassendes Brauchtum stolz gewesen, welches das Wohlverhalten der »Nachtarbeiter« geregelt hatte. Sie hatten jedoch nie die unglaubliche Dummheit der Ritter von Solamnia begangen, dies alles in einer Vielzahl dicker Bücher niederzuschreiben.

»Ganz und gar nicht«, erwiderte Niebar. »Im Gegenteil, sie belegen Eure erfolgreiche und umsichtige Verwaltung. Euer Anwesen macht sich!«

»Das ist mehr Haimyas Verdienst als meiner«, sagte Pirvan. »Das Schicksal hat sie dazu gebracht, das Herumreisen ein paar Jahre aufzugeben, als Gerik und Eskaia klein waren. In dieser Zeit hat sie ihr Talent entdeckt und Gefallen daran gefunden, ein Gut zu leiten.«

Und wenn du auch nur zu laut darüber nachdenkst, daß wir in der Lage sein müßten, mehr von unserem Geld für die Arbeit der Ritter auszugeben, damit die weniger ausgeben müssen, werde ich dich niederschlagen, und Haimya wird dich mit einer stumpfen Heckensichel entmannen.

Niebar richtete sich zu voller Größe auf, dann unterdrückte er einen Fluch. Er war noch nicht lange genug auf Gut Tiradot, um immer daran zu denken, welche Räume für seine beträchtliche Größe zu niedrig waren. Mit einer Hand rieb er sich den Kopf, die andere streckte er Pirvan hin.

Der ehemalige Dieb, der sich zum Ritter von Solamnia gewandelt hatte, nahm die angebotene Hand an. Er brachte sogar ein ehrliches Lächeln zustande, obwohl diese Ehrlichkeit sich mehr auf die bevorstehende Abreise von Niebar bezog als auf echten Respekt vor dem Mann.

Nun ja, ein wenig. Seine Gesellschaft ist kein Vergnügen, aber er ist aufrichtig, mutig und höflich, ohne diese Tugenden zur Schau zu stellen. Es haben schon schlimmere Männer den Rittereid abgelegt.

Die zwei Ritter stiegen die Wendeltreppe vom Sonnenzimmer im Turm am Westende des großen Saals hinunter. Die Außentür führte in den Hof des befestigten Herrenhauses, wo Pirvans Gärtner und sein Stallknecht bereits Niebars Pferd herausgeführt hatten. Niebars Knappe und sein Dienstbursche waren schon aufgestiegen.

»Auf Wiedersehen, Pirvan«, sagte Niebar. »Ich wünsche Euch kein ruhiges Jahr, weil weder Ihr noch Eure Frau Gemahlin daran Gefallen finden würdet. Aber ich werde darum beten, daß Eure Wünsche in Erfüllung gehen, und zwar bald.«

Niebar mußte über vierzig sein, älter als Pirvan, doch er bestieg sein Pferd behende wie ein junger Mann, ohne es zu verärgern. Die einzige Reaktion des Tieres war ein etwas mißmutiger Blick und ein leises Schnauben. Dann öffnete sich das Tor, die drei Männer drückten ihren Pferden die Stiefel in die Flanken und ritten davon.

Pirvan wartete, bis der letzte Rest des gelblichen Staubes am grünen Horizont verflogen war, dann ging er auf die Suche nach Haimya. Als er erfuhr, daß sie mit den Mägden am Mühlenbach war, wo sie ihr Bestes gaben, die Wollsachen vom Winterschmutz zu befreien, ging er in die andere Richtung, auf die Burgruine zu, welche die älteste noch vorhandene menschliche Behausung innerhalb der Ländereien von Tiradot darstellte.

Sie war im Zeitalter der Macht erbaut worden und hatte bis zum Dritten Drachenkrieg Herren von unterschiedlicher Ehre und Gier beherbergt. Während der Kämpfe war sie abwechselnd an Menschen und deren Drachengegner gefallen, und am Ende des Krieges war sie unbewohnbar gewesen.

Als der Wohlstand in das Land zurückkehrte, hatten die damaligen Herren von Tiradot beschlossen, daß die Zeiten, in denen man in Festungen gelebt hatte, vorüber seien. Sie hatten ein Haus mit dicken Mauern und spitzem Dach gebaut, mit drei Stockwerken und zwei Flügeln und dazu allen notwendigen Anbauten für ein großes Gut. Dann hatten sie das Ganze mit einer Mauer umgeben, die eher Viehdiebe und Einbrecher fernhalten sollte als feindliche Armeen.

Ein paar Generationen später war ein neuer Lord von Tiradot ohne Erben verstorben und hatte das Gut den Rittern von Solamnia hinterlassen. Da die Vereinbarungen der Schwertscheidenrolle weitere Generationen später den Rittern alles Eigentum zusprachen, das sie bisher besessen hatten, hatte der Heilige Bund auf den Status von Tiradot keine Auswirkungen gehabt.

Was schließlich zu einer Veränderung führte, war das Bedürfnis der Ritter, sich der Dienste eines gewissen Pirvan, des zauberkundigen Diebes aus Istar, zu versichern. Als dieser einen abtrünnigen Zauberer davon abgehalten hatte, Frostsplittereräxte auf die Welt loszulassen, und zum Sieg über einen Schwarzen Drachen beigetragen hatte, der unzeitgemäß aus dem Drachenschlaf gerufen worden war, hielt man ihn aufgrund dieser Taten für würdig, in den Reihen der Ritter der Krone aufgenommen zu werden.

Für seine Aufnahme zahlte er damit, daß er Augen und Ohren in der Welt und insbesondere im Umkreis von Istar offenhielt (auf dessen Territorium das Gut lag). Dieser Auftrag stammte von Sir Marod. Um seiner Aufgabe gerecht zu werden, brauchte Pirvan Ländereien und andere Besitztümer, die seinem Status entsprachen, und so war Gut Tiradot in seine Hand gelangt.

Bis heute allerdings, gut zehn Jahre später, war Pirvan nicht sicher, wer eigentlich in wessen Hand gelangt war. Einst hatte er gehört, daß jemand eine Krone ein »prächtiges Elend« genannt hatte; der Besitz eines Gutes kam ihm – auf bescheidenerem Niveau – oft so ähnlich vor.

Immerhin konnte man sagen, daß der Name »Pirvan von Tiradot« für Ohr und Herz einen besseren Klang hatte als der, den er sonst vielleicht getragen hätte. Er wurde nur hinter seinem Rücken geflüstert, war aber allgemein bekannt: »Pirvan ohne Titel«.

Wie stets, wenn trübe Gedanken wie eine Horde betrunkener Oger durch seinen Geist stürmten, fand Pirvan in hartem Training Erleichterung. Ein schneller Abstecher in die Waffenkammer verschaffte ihm Kletterhaken, Lederhosen, eine ärmellose Tunika, Seil, Arbeitsgurt, Beutel und Stiefel mit Nagelsohlen. Nachdem er so mit Metall behängt war, daß alles an ihm klirrte und klapperte wie bei einem schwer beschäftigten Kesselflicker, marschierte er durch das Tor auf die alte Burg zu.

Die Mauern waren immer noch an drei Seiten mehr als zehnmal so hoch wie Pirvan, obwohl sie noch rissiger und bröckeliger erschienen als früher. Stellenweise rieselten, wo bisher noch feste Blöcke alles zusammengehalten hatten, jetzt Steine herunter.

Wird Zeit, den Dorfbewohnern das Recht zu verkaufen, diesen alten Steinhaufen als Steinbruch auszubeuten, dachte Pirvan. *Das, was hier herumliegt, gäbe eine ganze Menge neue Häuser und neue Räume für alte Häuser ab, ganz zu schweigen von Baumaterial für Wege und Mauern. Wenn es mich in den Fingern juckt, kann ich ja immer noch auf Bäume klettern.*

Die Burg lag eine Viertelstunde zu Fuß vom Wohnhaus entfernt, und die Straße dorthin war gleichzeitig die Hauptstraße des Dorfes, das zum Gut gehörte. Pirvan kam an einer Ziegenherde mit Zicklein vorbei, an einem Kärrner mit einer Ladung Fässer (neue, leere Fässer vom Küfner des Dorfes, wenn man nach der Politur, den klappernden Dauben und der Geschwindigkeit des Karrens ging), an ein paar kleinen Jungen, die sich einfach nur die Zeit vertrieben, und an einem älteren Burschen, der gerade zwei frisch geschärfte Sicheln vom Schmied abgeholt hatte.

Allesamt grüßten sie Pirvan mehr aus höflichem Respekt als aus Unterwürfigkeit. Das war ganz nach seinem Geschmack und wäre es um so mehr gewesen, wenn er genau gewußt hätte, warum sie es taten. War es bei ihnen einfach so Brauch, wußten sie, was für ein überaus merkwürdiger Herr und Ritter er war, oder lag es am wachsenden Argwohn gegenüber den Rittern von Solamnia, der sich von Istar ausgehend verbreitete?

Natürlich bedeutete selbst der letzte und schlimmste Grund kaum eine Gefahr. Istars Behauptung, Hort aller Tugend in der Welt zu sein, wurde häufiger ausgesprochen als bestätigt, und auch viele Menschen aus Istar konnten das Wort »Königspriester« nicht aussprechen, ohne dabei zu lächeln. Es würde noch Generationen dauern, ehe die Ritter von Solamnia sich mit der Feindseligkeit würden abfinden müssen, die man schon jetzt Mitmenschen und menschlichen »Barbaren« entgegenbrachte – sofern die Ritter nicht als Verteidiger dieser Völker würden auftreten müssen.

Was sie eigentlich tun sollten – oder besser längst getan haben sollten. Aber die Ritter hatten zur Zeit des Heiligen Bundes zuviel errungen, indem sie Istars Schlachten austrugen. Zuviel, das sie jetzt ungern verlieren wollten, nur weil ein Minotaurus aus einer Taverne geworfen wurde, ohne daß man ihm überhaupt erst gestattete, sich zu betrinken, oder daß man einem Kendermädchen zu nahe trat, obwohl man nichts an ihr gefunden hatte, das jemand anderem gehörte …

Noch mehr dunkle Gedanken, wurde Pirvan bewußt. Bei diesem Tempo würde er bis Mittag auf der Burg herumklettern müssen, um einen klaren Kopf zu bekommen.

Die Mauern der Burg waren in einem noch schlechteren Zustand, als Pirvan es in Erinnerung hatte. Seine Krieger hatten das Recht, sie zum Klettern und für andere Übungszwecke zu benutzen, aber sie waren nur zu acht. Solche Risse und Löcher hätte nicht einmal ein Dutzend Ritter, die in voller Rüstung kletterten, hinterlassen können. Pirvan fragte sich, ob die Dorfjugend die Burg etwa für Wetten und Mutproben benutzte.

Noch ein Grund, alles abzureißen, bevor einer von den Waghalsigen sich den Hals und seinen Eltern das Herz bricht.

Pirvan mußte mit den Augen einen neuen Weg zur Spitze finden, ehe er losklettern konnte. Anschließend suchte er sich für den zweiten Aufstieg nur zur Herausforderung noch einen anderen Weg, der sich allerdings als länger und anstrengender erwies, als es von unten ausgesehen hatte. Als Pirvan oben ankam, war er schweißgebadet, blutete an mehreren Finger-knöcheln und einer Wange und war nur noch darauf aus, wieder zu Atem zu kommen und dann heimzukehren.

»Guten Tag«, sagte eine fröhliche Stimme, deren Besitzerin hinter den Zinnen nicht zu sehen war. »Darf ich Euch etwas Wasser anbieten?«

Pirvan schob sich noch einen Fingerbreit hoch, umklammerte mit beiden Händen einen flachen Stein und schwang sich auf das Dach der Burg. Im Landen zog er seinen Dolch, rollte ab und kam, die Messerspitze wurfbereit in der Hand, auf die Beine.

Doch seine Frau, Haimya, hatte bereits ihr eigenes Messer gezückt und hielt auch die gerade topfdeckelgroße Tartsche in der Hand, mit der sie so geschickt umgehen konnte. Wachsam standen sie einander einen Augenblick gegenüber, dann steckten sie gleichzeitig die Messer weg und umarmten sich.

»Auch gut, wenn wir jetzt nicht üben«, sagte Haimya, als sie sich bückte. »Wir hätten am Ende den Wasserschlauch durchbohrt, und Kiri-Jolit weiß, daß du wie ein Mann aussiehst, der dringend etwas zu trinken braucht.«

Pirvan war zu sehr damit beschäftigt, den Schlauch zu entkorken, um mehr als ein Nicken zustande zu bringen. Er sprach erst, nachdem das Wasser, das mit Tarbeerenextrakt und einem Hauch Zitrone versetzt war, ihm Staub und Schweiß aus Mund und Kehle gespült hatte.

»Besten Dank, Haimya«, sagte er. »Schön, dich zu sehen. Wie kommst du hier hoch?«

»Über die Treppe«, antwortete sie, ohne ihm in die Augen zu sehen. Niemand konnte behaupten, es würde ihr an Mut oder an Kampfkunst mangeln, aber für Höhen hatte sie wenig übrig, und sie hatte ihre Scham darüber nie ganz überwunden.

»Und wie kannst du dich freuen, mich zu sehen, wenn du ausschließlich Augen für den Wasserschlauch hast?« fügte sie, die Hände in die Hüften gestemmt, hinzu. Diese Haltung brachte die Schönheit ihres muskulösen Körpers voll zur Geltung. Sie war ebenso groß wie ihr Mann und an den Schultern vielleicht noch etwas breiter, ohne dadurch weniger begehrenswert zu sein.

Sie trug eine lockere Tunika über Männerkniehosen und kurze Stiefel an ihren langzehigen Füßen. Es schadete nichts, daß Tunika und Beinkleid feucht genug waren, an interessanten Stellen festzukleben. Pirvan legte seiner Frau sanft beide Hände an die Hüften und küßte sie auf die Wangen, ehe ihre Lippen sich schließlich fanden.

So blieben sie eine Weile stehen, und in ihren Küssen und Umarmungen mischte sich das Glück von Liebenden, langvermählten Eheleuten und erprobten Kampfgefährten. Es war unmöglich, anschließend zu sagen, wer als erster einen Schritt zurückgewichen war, aber beide lachten.

»Ist auch besser so«, sagte Haimya. »Mir zittern von so viel Nähe allmählich die Knie.« Sie streichelte seine Wange. »Wenn sie anfangen, die Burg zu erschüttern ...«

Pirvan machte eine freche Geste und griff nach Haimyas Hand. Scherze über den richtigen Abstand gehörten zu ihren ältesten Neckereien, denn sie stammten aus der Zeit nach ihrem ersten gemeinsamen Abenteuer, als sie wußten, daß sie sich eine Weile würden trennen müssen. Haimya hatte gesagt, daß vielleicht eine Zeit kommen würde, wo sie zusammenrücken würden, und sie hatte recht behalten – was Pirvan für das größte Glück hielt, das ihm jemals widerfahren war.

Schließlich zwang er sich, die Freude über Haimyas Berührung zu verdrängen. »Ruft dich etwas von hier weg?«

»Keine wirklichen Pflichten«, erwiderte sie. »Aber wenn wir noch länger hier oben bleiben, wird bestimmt etwas geschehen. Außerdem habe ich den Mägden versprochen, ihnen zu helfen, wenn sie die Wäsche vom Bach zurücktragen.«

»Also gut.«

Pirvan nahm noch einen Schluck vor dem Gehen, dann trank Haimya, und schließlich leerte er den Rest des Schlauches über ihrem Kopf aus und leckte ihr die Tropfen von Hals und Wangen, was bei beiden die Knie zum Zittern brachte, noch ehe der letzte Tropfen verschwunden war.

Auf dem Rückweg zum Haus zog Haimya einige Blicke auf sich, weil ihre Tunika noch feuchter war und enger anlag als zuvor. Doch keiner dieser Blicke enthielt etwas, das Pirvan hätte tadeln können. Es war überall bekannt, daß die Herrin von Tiradot einen hübschen Anblick bot, doch wenn jemand sich nicht mit dem Hinsehen begnügte, würde sie keine Zeit damit verschwenden, sich bei ihrem Mann zu beschweren, sondern die Sache auf der Stelle klären – auf eine Weise, die einen auf Jahre hinaus für jede Frau ungeeignet machte.

»Ich hoffe doch, daß Sir Niebar der Lästige uns für ein weiteres Jahr sein Vertrauen gewährt hat«, sagte Haimya, als sie am Schrein der Mishakal vorbeikamen, der am Wegrand lag.

Pirvan nickte, während er kurz zur Seite trat, um die letzten paar Tropfen aus dem Schlauch als Opfer auf den staubigen Stein zu sprenkeln. »Er tut sein Bestes, und schließlich haben weder er noch seine Begleiter in vier Tagen die Speisekammern leergegessen.«

»Ein Zauberer mit einem guten Suchzauber hätte dieselbe Arbeit in weniger als einem Tag erledigen können und dabei wenig oder gar nichts gegessen.«

»Er hätte aber ebenfalls eine Eskorte gebraucht«, erklärte Pirvan. »Denk nur an diese komische Räuberbande. Und dann ist da ja noch die Würde des Ordens. Außerdem kann ein Zauberer, der wirklich wirksame Magie beherrscht, wie ein Holzhacker im Winterwald zulangen.«

Haimyas heftige Geste verriet nur zu deutlich, was sie davon hielt, die Würde der Ritter von Solamnia aus ihrer eigenen Börse oder dem Erbe ihrer Kinder zu bezuschussen.

»Zudem«, fuhr Pirvan mit gedämpfter Stimme fort, »befinden wir uns etwas zu dicht bei Istar, um einen Zauberer zu beherbergen, der nicht aus einem Tempel von Istar stammt. Es würde Gerede geben. Gerede, das an unliebsame Ohren im Umkreis des Königspriesters gelangen könnte.«

»Eines Tages wird das Volk von Istar wählen müssen, ob es seine eigene Tugend oder die Wahren Götter anbeten will«, sagte Haimya mit einer Grimasse. »Bis dahin können wir vermutlich wenig tun, außer zu beten, daß sie die richtige Wahl treffen.«

»Und den Rittern zu gehorchen. Die stehen noch nicht unter Istars Joch.« *Und Marod und ich arbeiten daran, daß es nie so weit kommt.*

Sie waren jetzt fast am Tor. Die letzten fünfzig Schritte rannten sie. Als sie lachend wie Kinder in den Hof stürmten, liefen ihre eigenen Kinder ihnen entgegen.

»Papa, Mama«, riefen Gerik und Eskaia. »Ihr habt Besuch. Er wartet im großen Saal.«

Pirvan und Haimya starrten einander an. In ihren Gesichtern stand das fast hörbare Gebet, daß Sir Niebar nicht zurückgekehrt sein möge.

»Es ist nicht dieser knochige Ritter«, fügte Eskaia hinzu, die wie so oft mit Leichtigkeit erkannte, was ihre Eltern bewegte. »Dieser Mann ist überhaupt nicht knochig.«

»Jemar der Schöne?« fragte Haimya, die an dem Spiel langsam Gefallen fand. Der Seebarbar, ein alter Waffengefährte, hatte seit seiner Heirat und Familiengründung mit Eskaias Namenspatronin, einer Kaufmannsprinzessin aus Istar, eine ganze Menge an Gewicht zugelegt.

»Nein. Er ist auch nicht dick, aber groß. Sehr groß«, erklärte Gerik.

43

»Wie viele Augen hat er?« fragte Pirvan.

Die Kinder grinsten. »Das konnten wir nicht feststellen, denn über dem linken Auge trägt er eine Klappe.«

»Ja, und das andere, das wir sehen konnten, ist ganz rot, als ob er geweint oder zuwenig geschlafen hätte.«

Pirvan und Haimya wechselten einen schnellen Blick. Grimsor Einauge war ein alter Freund und manchmal auch Partner aus Pirvans Diebestagen und neigte nicht gerade zum Weinen. Er war auch selten schlaflos oder schlief, ohne zu schnarchen wie ein ganzes Erdbeben.

Außer, wenn er in Eile war, und wenn er in Eile nach Tiradot gekommen war, stand es ihnen wohl an, den Grund dafür zu erfahren – und zwar ebenfalls eilig.

»Gerik, lauf in die Küche und laß gekühlten Wein und Kuchen ins kleine Sonnenzimmer bringen«, sagte Pirvan. »Eskaia, du läufst zum Mühlenbach hinunter und sagst Bescheid, daß deine Mutter leider verhindert ist. Bitte die Mägde um Entschuldigung, daß sie ihnen nicht hilft, die Wäsche hochzutragen.«

»Wieso muß sich Mutter bei den Mägden entschuldigen?« fragte Gerik.

»Weil sie ein Versprechen bricht, das sie ihnen gegeben hat«, sagte Pirvan in scharfem Ton. »Wann immer man ein Versprechen bricht, muß man sich bei demjenigen entschuldigen, dem man es gegeben hat. Deine Mutter und ich tun das, der Großmeister der Ritter tut das, der Königspriester tut das.« *Jedenfalls, wenn er die Wahren Götter noch fürchtet.* »Deshalb werdet ihr das auch tun.«

»Ja, Vater«, antwortete Gerik. Er klang unterwürfig, wenn auch nicht gerade zerknirscht, und verschwand in Richtung Küche. Seine Haltung strahlte seinen Wunsch aus, nicht länger als nötig unter den Augen seiner Eltern zu bleiben.

»Er verbringt zuviel Zeit mit diesen drei unmöglichen Herrensöhnchen von Fren Gisor«, flüsterte Haimya. »Wir müssen ...«

»Das werden wir auch«, unterbrach Pirvan sie und nahm ihre Hand in seine. »Aber zuerst hören wir Grimsor an. Wenn wir schon in diesem Aufzug jemandem erscheinen – mag er auch ein alter Freund sein –, sind wir ihm zumindest Eile schuldig!«

Kapitel 3

Der Saal mit den grünen Wänden im Turm der Erzmagier in Istar lag so tief unter der Erde, daß man kaum behaupten konnte, er gehöre überhaupt noch zum Turm. Es hätte niemanden überrascht – weder Zauberer noch Kleriker noch gewöhnliche Bewohner von Istar der Mächtigen – zu erfahren, daß er auf keinem Plan des Turmes eingezeichnet war.

Manche Zauberer hätte es dagegen überrascht zu erfahren, daß es tatsächlich Pläne der fünf großen Türme der Erzmagier gab und daß diese Pläne oft von gewöhnlichen Menschen betrachtet wurden. Man hätte jedoch nicht viele Erklärungen gebraucht, um ihre Überraschung zu beenden und ihre Besorgnis zu zerstreuen.

Tarothin der Zauberer erinnerte sich daran, wie er selbst vor einigen Jahren einem verdutzten Lehrling eine solche Erklärung gegeben hatte.

»Grundsätzlich halten die Herrscher jener Städte und Länder, in denen die Türme stehen, nicht viel davon, wenn wir uns geheimnisvoller verhalten, als es notwendig ist. Daher bedeutet jede kleine Geste des Vertrauens am richtigen Ort womöglich mächtiges Wohlwollen. Denk an das Einunddreißigste Prinzip.«

Der Lehrling war selbst in seinem verwirrten Zustand geistesgegenwärtig und eifrig gewesen und hatte das Prinzip prompt auswendig aufgesagt:

»Ein kleiner Spruch zur rechten Zeit hat die Macht eines

großen Spruches eine Stunde später. Ein kleiner Spruch am rechten Ort hat die Macht eines großen Spruches aus tausend Schritt Entfernung.«

»Genau. Sieh diese Pläne der Türme als kleinen Spruch für friedliche Beziehungen mit denen an, die Macht über unser Schicksal haben, ohne viel von uns zu wissen, und die das Wenige, was sie wissen, oft ablehnen. Außerdem gibt es Zeiten, in denen man keinen Spruch verschwenden möchte, um einen Abfluß zu reinigen oder die Decke eines Zimmers neu zu vergolden, in dem es ganz und gar nichts Geheimes gibt. Deshalb holen wir gewöhnliche Handwerker, deren Wohlwollen wir uns erkaufen, indem wir für ihre Arbeit bezahlen. Wenn sie sehen, daß wir Leute wie sie sind, verlieren sie vielleicht ein wenig von ihrer Furcht vor uns.«

Tarothin hatte ein rauhes Lachen ausgestoßen. Früher einmal war sein Lachen aus vollem Herzen gekommen; eine Frau hatte es sogar einmal fröhlich genannt. Aber in den letzten zehn Jahren hatte es eher wenig Grund zur Fröhlichkeit gegeben.

»Wer einen Turm der Erzmagier in feindlicher Absicht betritt, wird diese Pläne natürlich eher bedrohlich als hilfreich finden. Eine Armee, die sie benutzt, müßte Glück haben, um im Turm etwas Wichtiges zu entdecken, und noch mehr Glück, um wieder hinauszufinden. Zudem wird jeder Turm von Zauberern bewacht, deren Kunst darin besteht, dafür zu sorgen, daß alle Eindringlinge glücklos bleiben. Deshalb kannst du sicher sein, daß die Existenz der Pläne der Türme kein Geheimnis und auch keine große Gefahr für uns ist.«

Der Lehrling hatte sich beruhigt wieder an seine Arbeit gemacht.

Ich frage mich, was aus dem Burschen geworden ist, überlegte Tarothin, während er sich verstohlen die Augen wischte, die vom Rauch der Kohlebecken tränten. Er war ein kluger Kopf gewesen und hatte Talent gezeigt, aber er schien sehr deutlich den Weißen Roben zugeneigt zu sein. Zu deutlich für jemanden seines Alters.

Es war unwahrscheinlich, daß Tarothin es je erfahren würde. Es gab nicht allzu viele fertig ausgebildete Zauberer der Weißen, Roten und Schwarzen Roben; die Sitze einer durchschnittlichen Arena würden den meisten Platz bieten können. Doch sie leben weit verstreut, und mit den Jahren war es weiser geworden, untereinander nicht zu viel über das eigene Kommen und Gehen zu reden, ganz zu schweigen von geheimen Schlupfwinkeln.

Das für diesen Tag angesetzte Treffen zeigte dieses Problem so lebhaft wie die kürzlich erneuerten goldenen Inschriften auf der grünen Marmorwand hinter dem Stuhl des Redners. Der Saal faßte siebzig Zauberer, und abgesehen von denen aus Istar wußte Tarothin höchstens von jedem fünften, wo er lebte. Er kannte ihre Gesichter und ihre Fähigkeiten, aber er hätte nicht so leicht sagen können, woher sie stammten.

Natürlich gab es auch Ausnahmen, und eine davon stand neben einem Flachrelief, das Humas Minotaurenkameraden Kaz darstellen sollte. Rubina war eine Schwarze Robe, die kein Geheimnis daraus machte, daß sie aus Karthay kam, der großen Handelsstadt nahe der Mündung der Bucht von Istar und damit Istars größter Rivalin im Handel. Sie machte auch kein Geheimnis daraus, daß das Schicksal ihrer Stadt sie gleichermaßen beschäftigte wie das Schicksal der Türme und all ihrer Zauberer, Lehrlinge und Diener, was für einen wahren Zauberer eigentlich unpassend war.

Andererseits war es schwer, einen ernsthaften Streit mit Rubina anzufangen. Sie war zu zuvorkommend, zu einfallsreich und einfach ein viel zu schöner Anblick.

Im Augenblick lag auf Rubinas hinreißendem Gesicht ein gelangweilter Ausdruck, und ihre riesigen braunen Augen mit den schweren Lidern waren in einer Weise geschlossen, die nicht sinnlich sein sollte – jedenfalls war das Tarothins Eindruck. Aber schließlich sollten auch schwarze Roben nicht sinnlich wirken, und doch konnte man Rubina schwerlich ansehen, ohne daran zu denken, wie sie ohne diese Roben aussehen würde.

Der Redner wiederholte gerade mindestens zum vierten Mal (Tarothin hatte das Zählen aufgegeben), wie unangemessen der Titel »Königspriester« für den führenden Kleriker von Istar sei. Tarothin fand, daß jede Aussage zu diesem Thema längst gemacht war und daß der Redner nur noch fortfuhr, weil er nicht wußte, wie er aufhören sollte, und weil niemand schlagfertig oder mutig genug war, ihn zum Schweigen zu bringen.

Die Frage des Titels hatte natürlich durchaus eine gewisse Bedeutung. »Königspriester« war schon immer der Titel des führenden Klerikers von Istar gewesen, schon als Istar noch ein Dorf gewesen war, dessen Kleriker in einer einzigen Taverne versammelt werden konnten – wo viele von ihnen vermutlich ohnehin einen Großteil ihrer Zeit verbracht hatten. Vor hundert Jahren war er der einzig erlaubte Titel geworden, aber die alten Titel waren noch gebräuchlich gewesen, und den neuen hatte man selten ernst genommen, nur für die allerförmlichsten Rituale.

Inzwischen wurden die Leute sogar zu Geldstrafen verurteilt oder gar ins Gefängnis geworfen, wenn sie nicht »Königspriester« sagten. Aber alle bisher verhängten Geldstrafen zusammen hätten noch in eine Börse gepaßt, die ein starker Mann hätte tragen können, und die Gefängnisstrafen waren kürzer als die, welche man über Betrunkene verhängte, die sich mit der Wache geprügelt hatten.

Um seine Muskeln davor zu bewahren, ihn steif wie eine Statue werden zu lassen, machte Tarothin ein paar Schritte zur Seite und schaute sich im Saal um. Innerhalb einer Stabeslänge sah er, in die Roben der ausgebildeten Zauberer gekleidet, zwei Kender, einen Elfen (Qualinesti natürlich, die Silvanesti hielten sich selten außerhalb ihrer Heimat auf und würden niemals einem Menschenorden von Priestern, Zauberern oder Kriegern beitreten), zwei, die aussahen wie Halbelfen, und einen, der klein genug war, um ein Zwerg zu sein, obwohl er vermutlich keiner war.

Das war es, was Tarothin Angst machte – die immer weiter verbreitete Vorstellung, daß nur Menschen, ob aus Istar oder anderen Orten, aus der Sicht der Wahren Götter einen Wert haben konnten. Eine solche Einstellung verstieß nicht nur gegen alles, was man Tarothin je gelehrt hatte, sondern auch gegen alles, was er im Laufe seines Lebens – welches nun schon vierzig Winter zählte – erfahren hatte.

Wenn die Menschen aus Istar begannen, *diesen* Irrsinn auch noch mit Geldstrafen und Kerkerhaft durchzusetzen – ob bei Menschen oder Nichtmenschen, spielte keine Rolle –, dann standen allen wirklich harte Zeiten bevor. Wenn der Redner auch nur fünf Worte hierzu gesagt hätte, wäre Tarothin zufrieden gewesen.

Endlich ging dem Redner die Luft aus, nachdem ihm längst die Gedanken abhanden gekommen waren. Tarothin nickte höflich, als der Mann abtrat; schließlich war er auch eine Rote Robe, und innerhalb des eigenen Ordens war Harmonie noch notwendiger als mit den anderen.

Stimmengewirr ließ Tarothin herumwirbeln. Jetzt bestieg Rubina das Rednerpodest und nahm Platz. Es konnte nicht ausschließlich Tarothins Phantasie entspringen, daß sie ihre Robe beim Setzen etwas übertrieben aufbauschte, womit sie für einige Augenblicke einen wohlgeformten Arm und wirklich hinreißende Fesseln entblößte, dazu kräftige Füße in Ledersandalen mit Elfenbeinschnallen – und weinrot gefärbte Zehennägel.

Nach diesem Schauspiel hätte Rubina genausogut über das beste Klebstoffrezept reden können und hätte dennoch zumindest den männlichen Teil der Zuhörer gefesselt. Statt dessen neigte sie den Kopf und sagte feierlich: »Mögen die Worte aus meinem Mund und die Einsichten meines Herzens allen Göttern und dieser ehrenwerten Gesellschaft gefallen.«

Anschließend begann sie eine Gefahr zu beschreiben, die sich im Norden zusammenbraute und ihre Heimatstadt Karthay mitbetraf.

»In nicht allzu langer Zeit wird die Sache alle Anwesenden und alle Magiebetreiber überall betreffen. Denn wie können wir in Frieden unserer Arbeit nachgehen, wenn es keinen Frieden gibt?«

Damit zog Rubina nun endgültig die ungeteilte Aufmerksamkeit der Zuhörer auf sich. Die Gesetzlosen und Piraten an der Nordküste hätten unter der Führerschaft – wie es hieß – eines Minotauren an Einfluß gewonnen, fuhr sie fort. Sie hatten das Gebiet ihrer Überfälle ausgeweitet, und obwohl sie sehr gemäßigt auftraten, warf inzwischen jedermann im Umkreis von einigen Tagesritten von der Küste regelmäßig einen Blick über die Schulter. Bisher war es nicht in großem Stil zu Piraterie auf hoher See gekommen, aber das konnte sich schnell ändern.

Noch bevor es dazu käme, würde Istar gewiß eine Flotte und eine Armee zusammenstellen, um die Gesetzlosen auszuräuchern. Das erschien selbstverständlich, ja sogar sinnvoll, doch Flotte und Armee würden gegenüber von Karthay am Eingang zur Bucht von Istar Stellung beziehen. Dann könnte kein Schiff aus Karthay sich mehr ohne Istars Erlaubnis bewegen, und es wäre die einfachste Sache der Welt, Karthay – bei jedem noch so kleinen Zwist zwischen den beiden Städten – zu blockieren.

»Istar ist schon lange eifersüchtig auf unsere erfolgreichen

Kaufleute und möchte ihren Erfolg eindämmen. Das Ausräuchern der Gesetzlosen ist gut und schön, aber Istar wird dies zum Vorwand für Tyrannei nehmen. Und wenn wir in Karthay uns widersetzen, dann sind die Ritter von Solamnia gezwungen, sich in Bewegung zu setzen, und unsere Stadt wird völlig ruiniert.«

Aus den Blicken und dem Gemurmel der Zuhörer schloß Tarothin, daß nicht alle Anwesenden die Vorstellung der Unterdrückung Karthays durch Istar so unannehmbar fanden, wie sie sollten. Er hoffte, daß Rubina nichts davon bemerkte. Sie war für ihr Temperament berühmt – berüchtigt; wenn sie es jetzt entfesselte, würde ihr Anliegen keine Unterstützung finden.

Tarothin räusperte sich. »Wenn ich kurz meine Gedanken zu Lady Rubinas Ausführungen hinzufügen dürfte ...« Er wartete eine angemessene Zeitspanne, dann fuhr er fort: »Selbst wenn die Ritter von Solamnia keinen Anlaß sehen sollten, sich in diesen Hader einzumischen, wird Istar seine Flotte und seine Armee verstärken müssen. Das bedeutet höhere Steuern, leere Bäuche, und Menschen, die einen Sündenbock für dies alles suchen. Ich möchte über keine Stadt richten, aber ich erinnere daran, was bei ähnlichen Gelegenheiten in anderen Ländern geschehen ist. Istar hat einen großen Vorzug – es hat einen Großteil seines Reiches friedlich erworben. Wir sollten alles in unserer Macht Stehende tun, um die Stadt in den kommenden Jahren auf diesem Kurs zu halten.«

Die Antwort auf diese vernünftige Ansicht war vielversprechend – eine Unmenge von mehr oder weniger praktikablen Vorschlägen. Die Streitgespräche wurden ausführlich und so laut ausgetragen, daß der Saal davon widerhallte, was die Kopfschmerzen verschlimmerte, die Tarothin bereits vom Rauch der Kohlebecken bekommen hatte. Am Ende kam man überein, aus jedem Orden zwei Leute zu ernennen, die über die Vorschläge beraten, ihre jeweiligen Vorzüge abwägen und eine Empfehlung für das beste Vorgehen aussprechen sollten.

Tarothin hätte gern mehr erreicht, aber er bezweifelte, daß er der einzige im Raum war, dem beinahe der Kopf platzte und dessen Magen vor Hunger knurrte. Um der Geheimhaltung willen hatte man die ganze Konklave und diesen Saal mit Sprüchen belegt, die Fasten erforderten, und zumindest Tarothin hatte seit einem trockenen Stück Apfelkuchen vor dem letzten Schlafengehen nichts mehr gegessen.

Die Versammlung wurde für beendet erklärt, und die Zauberer strömten auf eine der vier niedrigen Türen zu, die in die Gewölbe des Turms hinausführten, als Tarothin plötzlich eine Hand auf seinem Arm spürte. Er sah sich um und sah Rubina, die ein so grimmiges Gesicht machte, daß er für einen Augenblick tatsächlich ihre Schönheit vergaß.

Dann wurden ihm wieder ihre glänzenden schwarzen Haare, die hohen Wangenknochen und die vollen Lippen bewußt. Und er erkannte, daß sein unterstützendes Eingreifen ihre Rede unterbrochen und womöglich gegen ihren Willen vorzeitig beendet hatte. Wenn sie ihm deswegen grollte – nun, er konnte seine guten Absichten beteuern, aber Frauen und Götter wiesen solche Beteuerungen für gewöhnlich zurück.

»Meine Dame, wenn wegen meiner voreiligen Zunge etwas Wichtiges ungesagt geblieben ist …«

Die Gewitterwolken verzogen sich, und Rubinas riesige dunkle Augen starrten Tarothin mit einer Wärme an, bei der ihm merkwürdigerweise eine Gänsehaut über den Rücken kroch. Dann lachte Rubina. »Mir ging es in der Hauptsache darum, daß die Konklave die Sache ernst nimmt. Ohne dich wäre es vielleicht nie dazu gekommen.«

»Ich bin sicher, jemand anders wäre verständig genug gewesen, dasselbe zu tun wie ich«, erwiderte Tarothin. »Unsere Brüder und Schwestern *erscheinen* mitunter einfältig, aber nur wenige von ihnen sind es wirklich.«

»Dennoch bin ich dir dankbar. Ja, meine Dankbarkeit könnte sogar noch ein Abendessen in meinen Räumen umfassen.«

Tarothins Geist befahl seinem Körper, nicht mehr zu bellen wie ein Jagdhund auf der Fährte – denn genau so kam er sich vor, wie ein liebestoller Hund. Die Einladung konnte viele Bedeutungen haben, die meisten davon harmlos, und auch verschiedene Ergebnisse bringen.

Doch wenn man Rubina ansah und an ihr Zimmer dachte, hatte man automatisch das Bild eines Raumes vor Augen, der größtenteils von einem gigantischen Bett ausgefüllt wurde, das von allem erdenklichen Komfort umgeben war, damit derjenige, der sich darin befand, es eine ganze Weile nicht verlassen müßte ...

Tarothin hob Rubinas Hände an und verneigte sich, bis er sie leicht mit den Lippen streifen konnte. Fast hätte er sich an einem ihrer Ringe – sie trug drei bis vier an jeder Hand, schätzte er – einen Zahn angeschlagen, doch er wurde für den Handkuß mit einem silberhellen Lachen belohnt.

»Ich habe nichts vor, das mit Aussicht auf Erfolg gegen die Freude ankäme, diese Einladung anzunehmen«, sagte Tarothin im Versuch, sie weiterhin zu belustigen. Doch diesmal ließ Rubinas Lachen ihn vermuten, daß die Götter ihn nicht zum Schauspieler geschaffen hatten.

»Das beruhigt mich«, sagte Rubina, legte Tarothin kurz einen Arm um den Leib und rückte so nahe an ihn heran, daß ihr honigsüßer Atem sein Ohr kitzelte und seine Wange sowie seinen Hals streifte. »Aber jetzt muß ich dich verlassen und mein Arbeitszimmer in einen gastfreundlichen Raum verwandeln.«

Sie schien von einer Sekunde auf die andere verschwunden zu sein, und Tarothin brauchte einen Augenblick, ehe er erkannte, daß sie ihn während der Unterhaltung unmerklich zu einer der Türen dirigiert hatte. Sie war einfach in dem Moment hinausgetreten, als ihr letzter Atemzug ihn umweht hatte – obwohl Tarothin sich nicht nur einbildete, daß er noch ihr Parfüm in der Luft wahrnahm und darunter den unverwechselbaren Duft nach Frau.

Was aus all dem werden sollte, wußte Tarothin nicht. Er würde seine Zeit auch nicht mit Vermutungen verschwenden. Dennoch mußte er auf seinem Weg zu Rubinas Räumen noch einmal haltmachen.

Jemar der Schöne lag mit drei Schiffen im Hafen, darunter die *Seeleopard*, deren Decksmaat ein alter Gefährte Tarothins aus dem Abenteuer im Kratergolf war: Grimsor Einauge. Grimsor war einst mit Sir Pirvan ohne Titel auf Nachtarbeit ausgezogen.

Was sterbliche Menschen von den Vorgängen an der Nordküste von Istar wissen konnten, war Jemar und seinen Männern vermutlich bekannt – oder sie kannten zumindest jemanden, der es wußte. Mit Grimsors Hilfe würde Tarothin vielleicht sogar an Pirvans Einsichten herankommen – obwohl dieser als eidgebundener Ritter von Solamnia ohne das Einverständnis seiner Vorgesetzten kaum mehr als einen Rat würde bieten können.

Tarothin sagte sich, daß er dies alles *nicht* tat, um in Rubinas Achtung zu steigen und sich für einen angenehmeren Abschluß des Abendessens zu empfehlen. Er suchte nach Erkenntnissen, die zusammengenommen einen sinnlosen Krieg würden verhindern oder wenigstens einen großen Krieg in einen kleinen würden verwandeln können. Und wer behauptete, daß alle Kriege gleich grausam waren, hatte nie mit denen gesprochen, die am Leben geblieben waren, weil jemand einen Krieg in Grenzen gehalten hatte.

Jahrhundertelang hatte die Welt die Herrschaft von Istar hingenommen, weil sie Frieden und ein einigermaßen ausgewogenes Maß an Gerechtigkeit mit sich brachte. Wenn sich das ändern sollte, ob durch die Torheit irgendeines Königspriesters oder von jemand anderem, dann durfte man dies nicht tatenlos hinnehmen.

Kapitel 4

Es waren nur die Ausläufer eines Sturmes hoch im Norden, die zu Füßen der Klippen an die Felsen schlugen. Aber selbst diese Ausläufer verwandelten sich in zwei Mann hohe Brecher, wenn sie flaches Wasser erreichten.

Wenn die Wellen sich an den Felsen brachen, spritzte die Gischt silbrig bis oben auf die Klippe hoch und schillerte beim Herunterrieseln in allen Regenbogenfarben. Lange gepflegte und fein geschärfte Instinkte ließen die heimkehrenden Räuber von Dahrin, dem Erben des Minotaurus, einen möglichst großen Abstand zwischen sich und die Klippen legen, soweit es der schmale Pfad gestattete.

Ganz anders Imsaffor Sauseschritt. Er hockte auf einem vorspringenden Felsen gleich über dem höchsten Punkt, den die Gischt erreichen konnte, und starrte ins Wasser hinunter.

»Keine Muscheln heute abend«, stieß er hervor und verzog das Gesicht.

»Ich dachte, du haßt Austern«, sagte einer der Männer.

»Oh, das stimmt. Aber die meisten von euch großen Kerlen mögen sie, ein Grund, weshalb ich nicht sicher bin, ob ihr und wir Kender von denselben Göttern geschaffen sind, und ihr werdet schlechte Laune haben wegen der Muscheln, und das ...«

Dahrin streckte seinen langen Arm aus, packte Sauseschritt am Kragen und zog ihn zurück auf sicheren oder wenigstens halbwegs trockenen Boden. Dieser Küstenstrich blieb selten lange genug ohne Regen, um völlig auszutrocknen, und das bedeutete ein mühsames Vorwärtskommen für jeden, der einen solch schlüpfrigen Untergrund nicht gewöhnt war.

Dahrin und seine Kameraden beschwerten sich nicht über das Wetter. Ihre Nahrung bestand aus Wurzelgemüse (das selbst in Sümpfen gedieh), aus den Tieren des Waldes, den Früchten der Bäume und den Gaben des Meeres. Daß dieses Land schwer zu bestellen war, war ihnen nur recht, denn sie wünschten keine Nachbarn.

Der Hüne sah zum Himmel auf, der von den tanzenden Wolken abwechselnd verhüllt und freigefegt wurde. »Wir sollten uns besser beeilen«, sagte er. »Ich kann ein kaltes Siegesmahl verkraften, aber die Köche werden meutern, wenn sie es auftischen müssen, und Waydol wird auch etwas dazu zu sagen haben.«

Sie legten einen Schritt zu. Unter den Männern war Dahrin der einzige, der wirklich von sich sagen konnte, daß er Waydol liebte. Aber jeder hier respektierte den Minotaurus, schätzte seine Weisheit im Krieg und im Rat und fürchtete seine Zunge mindestens ebenso sehr wie seine Faust.

Nach wenigen Minuten bog der Pfad landeinwärts ab und begann anzusteigen. Niemand, der diesen Pfad nicht schon viele Male gelaufen war, hätte leicht feststellen können, wohin er führte, so schnell wurden die Bäume dichter. Farne und fahle Pilze, die kein Sonnenlicht brauchten, wuchsen ebenfalls überreichlich, wo die Bäume ihnen Platz ließen, und selbst ein paar bodendeckende Schlingpflanzen zeigten zwischen den verrottenden Zweigen und Nadeln ihre nassen Blätter.

Dahrin sog tief die Luft ein. Dieser Wald hatte für ihn den wahren Duft nach Heimat, trotz Dahrins Raubzügen tief ins Inland und weit hinaus auf die See. Von keinem Gott hätte er sich mehr erbeten, als sein Leben hier draußen zu verbringen, Waydols Platz einzunehmen, wenn der Minotaurus dereinst auf dem Scheiterhaufen lag, und Waydols Kampf weiterzuführen, bis die Zeit kam, diese Bürde an seinen eigenen Erben zu übergeben.

Von vorn hörten sie Vogelstimmen. Sirbones ging schneller, um mit Dahrin aufzuschließen. Auf seinem Gesicht war die Neugier deutlich zu erkennen.

»Mach lieber langsam«, sagte Dahrin. »Dieser Weg ist gefährlich.«

»Ich glaube, diese Vogelstimmen bedeuten mehr als einen gefährlichen Weg«, erwiderte der Priester der Mishakal. Obwohl er alt genug wirkte, um der Vater der meisten Räuber sein zu können, hatte er den ganzen Weg von Dinsas hierher ohne große Mühe mit ihnen Schritt gehalten.

»Inwiefern?« hakte Dahrin nach. Er war wenig überrascht, obwohl einige seiner Männer etwas unruhig darüber waren, wie geschickt Sirbones die Geheimnisse der Bande durchschaute. Doch keiner von ihnen wäre dumm genug gewesen, einen Mann anzugreifen, der unter Dahrins Schutz, und mehr noch, in Mishakals Gunst stand. Ein Angriff wäre pietätlos und obendrein wahrscheinlich sinnlos gewesen.

»Ja. Wenn ich in deinen Schuhen stecken würde ...«

»Ich gehe barfuß, wie du zweifelsohne bemerkt haben wirst.«

»Das habe ich. Aber man muß nicht immer alles so einfach ausdrücken. Mitunter, so habe ich herausgefunden, muß man die Worte liebkosen, um sie in die richtige Form zu bringen.«

Dahrin wollte nicht darüber nachdenken, was ein Priester wohl über Liebkosungen wußte – obwohl er natürlich gehört hatte, daß der Zölibat unter den Anhängern der Mishakal eher eine weit verbreitete freie Entscheidung als ein starres Gesetz war.

Beten wir, daß Sirbones nicht so viel für Frauen übrig hat, daß er damit den Frieden in der Bande bricht.

»Ich sorge mich nicht wegen deiner Worte. Ich sorge mich wegen deiner Ohren. Sind sie wirklich zum Lauschen geöffnet? Waydol sagte – und das stimmt –, daß wir nur einen Mund, aber zwei Ohren haben und daß wir deshalb mehr zuhören als reden sollen.«

Sirbones grinste und nickte schweigend.

»Nun denn«, fuhr Dahrin fort. »Die Wege und die unwirtliche Landschaft sind ein guter Schutz gegen jeden, der weniger trittsicher ist als ein Waldläufer oder Jäger. Aber wir haben den natürlichen Schutz für den Fall erweitert, daß jemand tatsächlich einen Trupp Waldläufer oder Jäger auf unseren Schlupfwinkel ansetzt. Manche Eindringlinge würden auf der Stelle erschlagen oder verkrüppelt, und vor den anderen wären wir gewarnt.«

»Du sagst zwar nicht, daß ich keine weiteren Fragen stellen soll, aber ich höre es deinen Worten an«, stellte Sirbones fest.

»Du hast richtig gehört«, bestätigte Dahrin. »Ich bitte dich auch um eine weitere weise Handlung: Bleib in derselben Reihe wie ich und meine Männer. Manche von unseren Geschenken an Fremde reichen bis dicht an den Wegrand heran.«

»Fallgruben mit vergifteten Spitzen und so?«

»Du hast versprochen, keine weiteren Fragen mehr zu stellen.«

»Ich habe nichts dergleichen versprochen. Ich habe nur deinen Befehl verstanden.«

»Und warum widersetzt du dich dann?« stieß Dahrin hervor. Er war einfach müde und nur noch darauf aus, nach Hause zu kommen und sich auszuruhen. Darum brachte er für die Scherze des Priesters nur noch wenig Geduld auf.

»Verzeihung, Erbe des Minotaurus. Ich überbeanspruche deine Gastfreundschaft.«

Nicht wirklich, denn du weißt so gut wie wir, daß es für uns ein solcher Segen sein wird, einen Heilpriester bei uns zu ha-

ben, daß wir dafür viel Schlimmeres als deine Geschwätzig-
keit ertragen würden.

Aber Dahrin kleidete seine Gedanken nicht in Worte, und
das nicht nur aus Höflichkeit, sondern auch, um seinen Atem
für den Rest des Aufstiegs zu sparen.

Pirvan und Haimya trafen sich mit Grimsor Einauge in demselben Sonnenzimmer, wo Pirvan an diesem Morgen schon mit
Sir Niebar gesessen hatte.

Der große Saal wäre der ehrenvollste Ort gewesen, um einen alten Freund zu bewirten, einen weitgereisten Gast und
Gefährten im Dienst von Jemar dem Schönen. Aber er stand
auch den Neugierigen und Indiskreten weit offen.

Als sie nun mit dem Wein und dem Kuchen fertig waren
(zwei Platten, denn Grimsor trank nicht viel, aß jedoch, wie es
seiner Größe angemessen war), holten sie gewisse Dinge – in
erster Linie Karten – aus ihren Verstecken und begannen, sich
ernsthaft zu unterhalten.

»Was führt dich hierher? Du wirkst, als hättest du ranzige
Butter im Frühstücksbrei gehabt«, sagte Haimya.

»Ich wünschte, es wäre nur mein Magen. Das wäre einfach
und würde niemand anderem schaden«, erwiderte Grimsor.
»Aber es geht um mehr. Karthay und Istar sind auf einem Kurs,
der zu einer so harten Kollision führen könnte, daß sie beide
dabei untergehen.«

Pirvan nickte. »Wir haben gehört, daß Istars Flotte nach
Norden segeln und die Küste von Gesetzlosen und Piraten säubern soll. Wir haben auch gehört, daß Karthay im Gegenzug
daran denkt, wieder eine eigene Flotte aufzustellen.«

»Von Karthay weiß ich nichts«, sagte Grimsor. »Jedenfalls
nicht mehr als das, was man auf der Straße so hört. Ob dort
neue Schiffe gebaut werden, ist eine Sache der oberen Räte,
und in den Kreisen hat nicht einmal Jemar viele Spione.«

Die Andeutung, daß die Ritter von Solamnia solche Spione haben könnten, war zu deutlich, um sie zu übergehen. Pirvan seufzte. *Am besten klären wir diese Sache sofort,* dachte er.

»Die Ritter von Solamnia haben geschworen, Istar gegen seine Gegner beizustehen«, sagte Pirvan. »Wenn Karthay ein solcher werden will, dann verlangt mein Eid von mir, daß ich diese Unterredung abbreche.« Ohne darauf zu achten, daß Haimya ihn mit ihren Blicken nicht nur durchbohrte, sondern aufschlitzte und vierteilte, fuhr Pirvan fort: »Wenn wir jedoch hier darauf abzielen, Karthay und Istar davon abzuhalten, Feinde zu werden, dann steht alles, was ich weiß, dir ebenso zur Verfügung wie alle Kraft in meinem Arm.«

»Und in meinem«, ergänzte Haimya und warf ihrem Mann einen Blick zu, der sich so sehr von dem vorherigen unterschied, daß er rot anlief und sein Kopf sich einen Augenblick lang nicht nur wegen der Hitze in dem schlecht belüfteten Raum drehte.

Grimsor lächelte trocken. »Ihr habt mir allerdings weder die Arme noch sonstige Hilfe von anderen Leuten versprochen.«

»Du hast uns auch keinerlei Hilfe von Jemar zugesagt«, erklärte Haimya. »Oder bist du in derselben Lage wie wir – und kannst keine Versprechungen machen, weil du nicht weißt, ob deine Herren sie halten werden?«

»Ich würde Jemar nicht meinen Herrn nennen«, widersprach Grimsor. »Er hat keinen verfluchten Riesenhaufen Bücher zur Verfügung, der ihm riete, was er tun soll und wie er allen anderen sagen soll, was sie zu tun haben. Das Meer erlaubt so etwas nicht. Wenn ihr Ritter also jemals eine Flotte aufstellen wollt, könntet ihr etwas brauchen, das ein wenig ...«

»Grimsor, alter Freund«, unterbrach ihn Haimya mit einer Stimme so weich wie Seide und so kalt wie die Klinge eines Frostsplitterers, »laß das sein. Oder erzähle uns, was du in Ehren sagen darfst, und wir werden keine weiteren Fragen stellen. Aber wenn wir noch mehr Zeit mit üblen Scherzen verbringen, sind Gerik und Eskaia bald alt genug, um mit uns in dieses Abenteuer zu ziehen, noch ehe wir beschlossen haben, wie wir es angehen.«

Die beiden Männer sahen einander an und brachen in Gelächter aus. »Na schön«, sagte Pirvan. »Ich halte den Mund und lasse Grimsor reden. Er hat noch nie viel Ermunterung dafür gebraucht, also will ich …«

»Mein lieber Mann«, ermahnte Haimya ihn.

Grimsors polternde Stimme brach das anschließende Schweigen. »Wir haben Lunte gerochen – diejenigen von uns, die ihre Nase in den Wind strecken –, als man Aurhinius zum Befehlshaber über den Norden ernannt hat.«

»Gildas Aurhinius?« fragte Pirvan.

»Genau der«, sagte Grimsor. Dann fügte er Haimya zuliebe hinzu: »Kein Freund von Dieben, nicht einmal dann, wenn sie sich zur Ruhe gesetzt haben. Die Armee hat ihm vor zehn Jahren den Oberbefehl über die Wachen übertragen, damit er ihnen Disziplin und Ordnung einbleut. Vermutlich glaubten sie, er wäre zu reich, um sich bestechen zu lassen.«

»Ist es ihm gelungen?« fragte Haimya.

Grimsor nickte. »Um den Preis von ein paar guten Leuten, die Pirvan und ich gekannt haben – sie sind tot, im Kerker verfault oder als Sklaven in den Steinbrüchen ausgelaugt worden. Aurhinius liebt eine schöne Rüstung, aber er kämpft wie ein Berserker.«

»Mit anderen Worten, er ist keiner, den man ohne guten Grund ausschickt«, faßte Haimya zusammen.

Die beiden Männer nickten.

»Aurhinius ist bereits selbst nach Norden gezogen«, fuhr Grimsor fort. »Er hat zehn Schiffe und etwa zweitausend Mann mitgenommen, in erster Linie, um die Garnisonen dort oben zu verstärken. Aber sie rekrutieren immer noch, rufen die Veteranen zusammen und heuern Arbeiter für die Werften

an, um Schiffe aufzupolieren und schneller neue zu bauen –
oh, es ist, als wäre Zeboims ganzer Zorn über uns ehrliche Seeleute hereingebrochen.«

Pirvan gelang es, sich das Lachen zu verbeißen, als Grimsor
Jemar und dessen Volk als »ehrliche Seeleute« bezeichnete.
Offene Piraterie kam bei ihnen heutzutage zwar nicht mehr so
häufig vor, aber die Seebarbaren kannten auch andere Wege,
Leute von ihrem Gold zu trennen.

Pirvan stand auf. »Alter Freund, meine Frau und ich müssen
darüber nachdenken. Aber ich verspreche dir, wir werden uns
gründlich überlegen, was wir tun können oder wer es tun kann,
wenn uns die Hände gebunden sind.«

Grimsors Grunzen machte deutlich, daß er gern mehr gehört
hätte, jedoch wußte, daß er nicht darum bitten konnte. Vorläufig gebot ihm die Freundschaft zu schweigen, jedenfalls solange er unter dem Dach seiner Freunde weilte.

Die zwei Wege trafen sich vor einer senkrechten Spalte in einer Klippenwand, die nicht viel niedriger war als die turmho-
hen Pinien hinter ihnen. Dahrin sah, wie Sirbones die Spalte
ansah und sich fragte, ob dort überhaupt jemand durchpaßte,
selbst wenn sie irgendwo hinführte.

»Keine Sorge, Freund Priester«, sagte Sauseschritt. »An einer Lösung für dieses Problem haben die hellsten Köpfe der
Kender mitgearbeitet.«

»Stimmt«, fügte jemand hinzu, »und wenn wir auf eine Lösung von denen gewartet hätten, wären wir besser gleich zu
den Gnomen gegangen.«

Sirbones wirkte leicht beunruhigt. »Das ist aber doch kein
Gnomenwerk, oder?«

Ihr Lachen hallte von den Felsen und den Bäumen hinter ihnen wider. »Nein«, sagte Dahrin. »Menschenwerk – mit ein
wenig Hilfe von einem Minotaurus – und ziemlich zuverläs-

sig.« Er sah zur Spitze der Klippe empor und hob beide Hände mit nach außen gedrehten Handflächen über seinen Kopf.

Tief im Fels begann es zu grollen. Das Geräusch schwoll an, bis der Boden unter ihren Füßen zu beben begann. Sirbones fühlte sich sichtlich unwohl, versuchte jedoch noch offensichtlicher, dies zu verbergen.

Dann verebbte das Rumpeln. Dahrin ging zu einem großen Felsen an der linken Seite der Felsspalte und drückte fest dagegen. Kreischend wie ein abgestochenes Ferkel schwang der Stein zur Seite. Dahinter lag ein staubiger, dunkler Tunnel – oder eher ein halbrunder Gang, der in den Fels getrieben war. Am anderen Ende glitzerte Sonnenlicht auf dem Wasser.

»Sei unser Gast, Sirbones«, sagte Dahrin. »Und schweige über alles, was du hier und in Zukunft siehst. Wir werden dir nichts antun, um dich bei uns festzuhalten, aber wenn eines unserer Geheimnisse durch dich bekannt wird, wird dein Priesterstand dich nicht vor unserer Rache schützen.«

»Ich werde von Mishakal beschützt, ganz gleich, womit ihr mir droht«, erwiderte Sirbones würdevoll. »Aber *ihr* seid durch meine Eide und meine Ehre vor meiner losen Zunge geschützt. Dahrin, nur ein Barbar glaubt, daß er der einzige Mensch ist, der Ehre im Leib hat.«

Bevor Dahrin eine Erwiderung darauf finden konnte, nahm der Priester seinen Stab von der Schulter, damit dieser nicht an den Felsen hängenbleiben konnte, streckte ihn wie einen Speer nach vorn und verschwand im Gang.

Pirvan und Haimya legten Wert darauf, so oft wie möglich mit ihren Wachen oder kampferprobten Besuchern Übungskämpfe abzuhalten. Wenn ein Kämpfer zu häufig gegen denselben Gegner antrat, gewöhnte er sich leicht an diesen einen Kampfstil und war nicht mehr auf unvorhersehbare Manöver gefaßt, wenn ihm ein neuer, unbekannter Mann gegenüberstand. Und die Eheleute waren sich einig, daß dies genau der richtige Weg zu einem schnellen Tod in der Schlacht war.

Dennoch heiterte es sie beide auf, wenn sie mit Holzschwertern und abgepolsterten Waffen aufeinander eindrangen.

Und gerade heute brauchten sie eine Aufheiterung.

Sie waren bereits einen Großteil des Nachmittags am Kämpfen, und Pirvan taten allmählich alle Knochen weh, ganz zu schweigen von seinen Augen, in denen der Schweiß brannte. Aber Haimya ging wieder auf ihn los, leichtfüßig wie ein Reh im Frühling, und der Kampf war noch lange nicht vorüber.

Pirvan riskierte es, näher zu kommen, schlug Haimyas Schwert beiseite und stach mit seinem Dolch auf ihren Schild ein. Sie führte ihre Klinge gerade rechtzeitig vor sich, um seine abzufangen. Heft an Heft standen sie da. Und praktisch auch Nase an Nase, so daß Haimyas Augen – heute blau, doch er hatte sie auch schon grau oder grün leuchten sehen – in seine starrten.

Dann lachte sie, und es war kein verspieltes, mädchenhaftes Kichern, sondern ein herzliches Prusten. »Diesmal unentschieden?«

»Einverstanden.« Er trat zurück, blieb aber auf der Hut, bis Haimya ihren Schild von der Schulter abgeworfen und das Schwert darauf geschleudert hatte. Dann setzte sie sich mit verschränkten Beinen hin und griff nach dem Wasserkrug.

»Wollen wir ausziehen und Grimsor und den anderen beistehen?« fragte sie, als sie genug getrunken hatte.

»Du meinst, ob wir den Grund für diesen Zwist zwischen Istar und Karthay ausfindig machen und versuchen sollen, den Frieden zu bewahren?«

»Du redest mit mir, als würdest du einen Brief an Sir Marod schreiben.«

»Ich sollte für diesen Brief lieber frühzeitig üben.«

»Aber bitte nicht an mir.«

»Wem sonst kann ich zutrauen, was Toleranz, Diskretion und ...«

Sie küßte ihn. Er erwiderte ihren Kuß, dann löste er sich lächelnd von ihr.

»... und interessante Arten, mich zu unterbrechen, angeht.«

»Ich kann sie noch interessanter machen.«

»Die Tür zum Waffenraum steht noch offen.«

Wie um Pirvans Bemerkung zu unterstreichen, kamen Gerik und Eskaia hereingestürmt.

»Papa, Mama«, rief Gerik. »Euer Freund Grimsor sagt, er will uns Piratengeschichten erzählen, wenn ihr ihn zum Abendessen einladet.«

»Grimsor bleibt zum Abendessen und auch über Nacht«, sagte Pirvan. »Aber ihr, meine Kinder, müßt noch eure Aufgaben beenden. Das letzte Mal, als ihr mir eure Rechenaufgaben gezeigt habt, hattet ihr insgesamt elf von zwanzig Aufgaben falsch.«

»Oh, aber ...«, setzte Gerik an.

»Sag jetzt bloß nicht, daß dein Gutsverwalter dir diese Arbeit einmal abnehmen wird«, unterbrach ihn Haimya. »Denk dran, es dauert noch eine Weile, ehe du einen Verwalter bezahlen kannst. Und wenn der herausbekommt, daß du seine Fehler nicht finden kannst, wird er entweder schlecht arbeiten oder dich betrügen oder beides.«

»Und jetzt ab mit euch. Wir werden Grimsor an sein Versprechen erinnern, wenn ihr es schafft, eure Aufgaben bis zum Abendessen fertigzumachen!«

Die Kinder eilten davon, was Pirvan und Haimya gestattete, sich noch einmal zu umarmen, ehe sie schließlich ihre Ausrüstung aufhängten.

Der offizielle Teil der Willkommensfeier war vorüber. Nun endlich konnte Dahrin Waydol gestatten, ihn beiseite zu nehmen, damit sie sich in der Steinhütte des Minotaurus unterhalten konnten, ohne daß jemand zuhörte.

Zuallererst umarmte Waydol seinen Erben zum fünften Mal, seit sie sich am Ende des steinernen Geheimgangs getroffen hatten. Es war die festeste Umarmung von allen, und Dahrin wußte, daß er sie erwidern mußte, wenn schon nicht mit Minotaurenkraft, so doch mit aller Kraft, die seine Menschenmuskeln aufbringen konnten.

Nachdem dies geschafft war, bedeutete Waydol seinem atemlosen Erben, auf einem der Steinhocker Platz zu nehmen. Waydol selbst setzte sich mit verschränkten Beinen auf den mit Reet bestreuten Boden und bedachte Dahrin mit einem Blick, der zu sagen schien, daß der Minotaurus einem Mann in die Seele blicken und seine Ehre und alles Sonstige darin beurteilen könnte.

Waydol mußte nicht sehr hoch blicken, um seinem Erben in die Augen zu sehen. Dahrin war so groß wie ein sehr kleiner erwachsener Minotaurus, und Waydol war größer als der Durchschnitt seiner Rasse. In seiner Jugend hatte er mit einem Minotaurenbreitschwert in jeder Hand gekämpft, und obwohl diese Jugend lange vorüber war, hatte er noch nicht das Alter erreicht, in dem ein Minotaurus gebeugt geht.

»Also, mein Erbe Dahrin«, knurrte Waydol. Er beherrschte die Sprache von Istar ausgezeichnet, doch er hatte nach wie vor einen starken Akzent, und kein Minotaurus konnte sich für ein menschliches Ohr jemals anders als kehlig anhören. »Gibt es etwas an diesem Überfall, wovon nur ich erfahren sollte?«

»Da fällt mir im Moment nichts ein«, sagte Dahrin.

»Bitte nicht darum, erst zu schlafen und dann zu reden«, sagte Waydol, doch sein Lächeln nahm seinen Worten die Schärfe.

»Wann habe ich das zuletzt getan?«

»Oh, da warst du sechzehn oder so.«

»Ah, einer meiner ersten Überfälle. Ich glaube, ich kann mich erinnern, dabei ist das schon so lange her.«

»Es ist, wie du sehr genau weißt, gerade mal sechs Jahre her. Und falls du dich nicht erinnerst, dann fürchte ich, ich muß mich anderswo nach einem Erben umsehen. *Mein* Gedächtnis ist jedenfalls noch nicht so schwach, obwohl ich fünfmal so alt bin wie du.«

»Aber für einen Minotaurus entsprichst du damit doch noch einen grünen Jungen.«

»Tatsächlich?« fragte Waydol und täuschte einen schnellen Stoß mit den Hörnern nach Dahrins Bauch vor. Der junge Mann rollte vom Hocker und riß diesen im Hochkommen als Schild vor die Brust.

»Bring mir den Spiegel und ein Putztuch«, sagte Waydol grinsend. Das leise Lachen des Minotaurus klang für die meisten Menschen wie Mahlsteine, die einander rieben, aber für Dahrin war es ein vertrautes, liebgewonnenes Geräusch.

Dahrin holte den Bronzespiegel und einen Sack Tücher, die mit zahlreichen duftenden Harzen getränkt waren. Anschließend hielt er den Spiegel, während Waydol sorgfältig seine Hörner polierte. Die Hörner waren ausnehmend schön, und Waydol waren sie besonders kostbar, weil er sie einst um ein Haar verloren hätte.

Das lag viele Jahre zurück. Damals hatte er vorgeschlagen, daß man die Schwächen der Menschen in Erfahrung bringen sollte, bevor man blindlings auf sie losstürmte. Schließlich verlangte die Ehre keine Torheit. Einige recht einflußreiche Minotauren hatten sich durch diesen Vorschlag in ihrer Ehre gekränkt gesehen und Waydol vor die Wahl gestellt: Exil oder Enthornung – oder Tod in der Arena natürlich, in einem Kampf, für dessen Ausfallen die anderen Minotauren Dahrins Ansicht nach dankbar sein sollten.

Waydol hatte das Exil gewählt. Kurz danach hatte er beschlossen, sich zum Anführer einer Bande menschlicher Gesetzloser zu machen, das heißt derjenigen von ihnen, die die erste Begegnung mit ihm überlebten. Und kurz nachdem er sich zum Hauptmann ernannt hatte, hatte er als Erben ein tapferes Kind adoptiert, das sich an eine Planke des untergegangenen Schiffes seiner Familie geklammert hatte, bis es an Waydols Küste gespült worden war.

Das lag nun neunzehn Jahre zurück. Die Hörner, die Waydol in seiner Heimat nicht verloren hatte, waren im Exil weitergewachsen und stellten eindrucksvolle Waffen dar. Ebenso scharf wie sie war der Verstand des Minotaurus.

Selbst wenn sich die Minotauren über Monate zu einer geheimen Wahl zusammengesetzt hätten, hätten sie Dahrins Meinung nach keinen Besseren aussuchen können, um die Schwächen der Menschen zu erkunden. Wenn jene, die sich an Waydols Kränkungen erinnerten, mittlerweile in der Arena umgekommen waren, und die, die noch lebten, klüger waren, würde er sein Ziel vielleicht doch noch erreichen.

Was allerdings eine erschreckende Last für die Ehre und das Gewissen seines Erben bedeuten würde. *Falls* es dazu kam – und selbst ohne Waydol hätte das Leben Dahrin gelehrt, daß die Sorge um das, was vielleicht niemals geschehen würde, höchstens eine Minute am Tag in Anspruch nehmen sollte – auf dem Abort, beim Rasieren oder bei anderen Beschäftigungen, die nicht viel Nachdenken erforderten.

»Ich finde, du solltest bald wieder ausziehen, und zwar mit dem größten Teil der Männer.«

»Dann bräuchten wir Unterbefehlshaber«, erwiderte Dahrin.

»Kindro und Pertig Temperer sind beide erfahren genug, um Anführer zu sein.«

»Und jung genug, um ersetzt zu werden, falls sie versagen?« fragte Dahrin.

»So zynisch kannst du dir erst erlauben zu sein, wenn dein Bart so lang ist wie meine Hörner.«

»Wenn ich oft mit Pertig Temperer ausreiten muß, wird mein Bart weiß sein, bevor er so lang ist.«

»Er ist nicht schlimmer als die meisten Zwerge und besser als so mancher von ihnen.«

»Dann bete ich darum, daß ich den ›manchen‹ nie begegne.«

»Unwahrscheinlich. Das Reich Thorbardin liegt in unserem Rücken. Wir werden uns in ihr Land zurückziehen müssen, falls wir von der Küste vertrieben werden.«

Dahrin staunte nicht darüber, daß ein Minotaurus daran dachte, sich angesichts einer überlegenen Streitmacht zurückzuziehen, anstatt an Ort und Stelle zu sterben. Was ihn vielmehr beschäftigte, war, woher diese überlegene Streitmacht kommen sollte.

Nachdem Waydol seine Erklärungen über die Bedeutung der Ankunft von Gildas Aurhinius im nördlichen Territorium von Istar, unweit ihres eigenen Gebietes, beendet hatte, verstand Dahrin mehr von der Sache mit der überlegenen Streitmacht. Aber er fragte sich, was er mit höchstens zweihundert Mann gegen eine zehnfache Übermacht ausrichten sollte.

»Wenn du sie versammelt antriffst, erwarte ich nur wenig«, sagte Waydol. »Dann könnt ihr höchstens ihre Patrouillen angreifen, Gefangene machen – je hochstehender, desto besser – und ganz allgemein ihre kämpferischen Fähigkeiten prüfen. Aber ihr werdet sie kaum alle zusammen antreffen.

Nach allem, was ich über ihn weiß, ist Aurhinius ein ehrgeiziger Mann, der einen hohen Aufstieg im Rat von Istar anstrebt, wenn er seinen Helm einmal an den Nagel hängt. Ein solcher Mann wird ganz sicher den Rufen der Städte im Norden nach hundert Mann hier und fünfzig da entsprechen, damit sie ihre Mauern, Felder und Karawanen schützen können.

Du und deine Männer, ihr könnt eine solche Handvoll jederzeit zum Frühstück verputzen und den einen oder anderen Überlebenden leicht gesalzen oder mit Essig beträufelt als Zwischenmahlzeit aufheben. Macht das ein- oder zweimal, dann wird Aurhinius gegen euch ins Feld ziehen. Was du sonst tust, überlasse ich deinem Urteilsvermögen – aber sorge dafür, daß der Mann wütend wird.

Ein wütender Gegner greift kopflos an. Er kann seine Stärke und seine Waffen nicht bestmöglich nutzen, und er ist vor Überraschungsangriffen nicht auf der Hut. Kurz gesagt, er wird in seiner Wut zu einem Mann, den man schlagen kann, obwohl er eigentlich in vielen Dingen überlegen ist.«

Dahrin wußte das sehr wohl aus direkten Zweikämpfen, aber es war das erste Mal, daß er dieses Prinzip in der Schlacht anwendete, ja, bei einem richtigen Kriegszug gegen einen zivilisierten Soldaten an der Spitze einer kleinen Armee. Er wußte, daß seine Unruhe mehr auf mangelndem Selbstvertrauen als auf mangelndem Vertrauen zu Waydol beruhte, und er wußte auch, daß die Unruhe verschwinden würde, sobald er seine ersten zwei Schlachten hinter sich hatte.

Vorläufig jedoch war er immer noch der Erbe des Minotaurus. Er rutschte vom Hocker und hielt Waydol den Spiegel so hin, daß dieser seine Hörner schneller polieren konnte.

»Gute Nacht, Papa.«

»Gute Nacht, Mama.«

Das Duett der Kinder kam von beiden Seiten des Gangs. Die Jahre, in denen sie ein gemeinsames Zimmer und ein gemeinsames Kindermädchen gehabt hatten, waren vorbei. Jetzt hatte Gerik einen Tutor und erhielt Unterricht von den Kämpfern, während Eskaia von der jüngeren Schwester von Haimyas Zofe umsorgt wurde.

Nicht daß Haimya wirklich eine Zofe gebraucht hätte, aber wenn sie wie in ihren Söldnerjahren alles selbst gemacht hätte, hätten Klatsch und Tratsch vom Flußufer bis zu den Bergen kein Ende mehr genommen. Haimyas einziger Trost für die fremde Hilfe war, daß sie dadurch Gelegenheit bekam, sowohl ihrer Zofe als auch ihrer Tochter die Grundlagen des Kämpfens beizubringen, und zwar mit bloßen Händen genau wie mit Waffen.

Pirvan hörte, wie die Türen zugingen, und schlang seiner Frau einen Arm um die Taille. »Ich finde, wir sollten auch bald schlafen gehen.«

»Du hast es doch hoffentlich nicht zu eilig damit?«

»Nicht so eilig, daß ich einer Dame mißfallen möchte.«

»Ich bin deiner Ehre sehr verpflichtet.«

»Das ist mehr gesunder Menschenverstand als Ehre, wenn man bedenkt, was unzufriedene Damen anstellen können.«

Haimya rückte näher. »Vielleicht solltest du lieber über die Möglichkeiten einer zufriedenen Dame nachdenken.«

Sie beließen es nicht beim Nachdenken über die genannten Möglichkeiten, sondern erforschten diese gründlich. Anschließend lagen sie beieinander, bis Haimya sich auf den Ellenbogen aufstützte.

»Haben wir noch etwas vergessen, was wir für unseren Ritt nach Norden brauchen?«

»Wir haben noch keine Vorräte eingepackt.«

»Ich dachte eher daran, daß wir sichergehen sollten, daß die Ritter uns nicht des Ungehorsams anklagen.«

Pirvan zog Haimya an seine Brust und genoß die Freude dieser Berührung einen Augenblick, bevor er erwiderte: »Wir müssen jedenfalls etwas Zeit in Karthay verbringen. Sir Marod hat in seinen Briefen darauf bestanden, daß jeder, der ihm dient, herausfinden soll, was Karthay mit seiner Flotte vorhat. Wenn wir uns dort wenigstens ein paar Tage aufhalten, wird dies in Verbindung mit den Informationen, die wir von Jemar bekommen, Sir Marod und jeden anderen Fragesteller zufriedenstellen.«

Haimya seufzte und schmiegte sich an ihren Mann. Dann spürte er auf einmal, wie ihre Schultern bebten und wie seine Brust feucht und warm wurde.

»Haimya, was ist?«

»Verzeih mir«, sagte sie, während sie sich mit dem Handrücken die Augen abwischte. »Es ist albern, aber … es ist das erste Mal, daß wir aufbrechen und die Kinder zurücklassen – das erste Mal, seit sie alt genug sind, das Wort ›Gefahr‹ zu verstehen.«

Pirvan umarmte sie fester. »Meine geliebte Frau, wenn du darüber weinst, dann weine ich gleich mit, und unser Bett wird naß. Glaubst du etwa, ich schleiche mich nicht auch manchmal des Nachts in ihre Zimmer und sehe mir die schlafenden Kinder an – mit all unseren Hoffnungen, die sie verkörpern?«

»Ich dachte, das wäre mein Geheimnis.« Sie biß ihn sanft in die Schulter, dann begann sie ihn zu küssen. Langsam ließ sie ihre Lippen über seinen Hals, dann über die Wange bis zum Ohr hinaufwandern.

»Meine Liebe, in manchen Dingen hast du keinerlei Geheimnisse mehr vor mir«, erwiderte Pirvan und drückte sie noch fester an sich.

Kapitel 5

Dahrins Räuber mußten von ihrer Festung aus bis zur ersten Stadt im Osten vier Tage lang marschieren. Diese Stadt hatte nicht nur keine Garnison mit ausgewählten Soldaten aus Istar, sie hatte noch nicht einmal vom Kommen der Soldaten gehört.

»Was zu der Art paßt, wie Istar uns immer behandelt«, sagte ein Kaufmann. »Wir warten ein Jahr auf die Botschaft mit der Erlaubnis, neue Tore vor das Lagerhaus bauen zu dürfen. Dann kommt der Bote mit einer berittenen Eskorte von zweihundert Mann, die das Lagerhaus leerfressen, so daß man nicht einmal mehr ein Band vor die Tür spannen müßte, weil das, was übrig ist, nicht einmal eine Maus satt machen würde!«

Es war nicht das erste Mal, daß Dahrin Beschwerden von den Bewohnern des Nordens hörte, daß die Herrschaft des fernen Istar launisch und häufig eher grob als hilfreich sei. Das war eine echte Schwäche von Istar der Mächtigen, von der er Waydol würde berichten müssen.

Vorläufig fühlte Dahrin sich nicht verlockt, die Stadt zu plündern, denn ihre Mauern bestanden aus soliden Steinen, und ihre Bewohner waren robust und entschlossen, wenn auch nicht besonders waffengewandt. Anstelle eines Überfalls bezahlte er gut hundertfünfzig Istarer Türme für ein Dutzend anständiger, kräftiger Pferde. Damit würde er ein paar seiner Männer als berittene Fährtenleser einsetzen können, die je nach Bedarf als Vorhut, an den Flanken der Truppen oder als Nachhut reiten konnten.

Die Räuber zogen weiter, inzwischen in zwei Kolonnen geordnet, zwischen denen die Fährtenleser Nachrichten hin- und hertrugen. Dahrin stellte fest, daß Pertig Temperers Zunge nicht stumpfer geworden war, doch in Pertigs spitzen Kommentaren lag gewöhnlich ein schlauer Rat verborgen. Die Zwerge kamen nicht oft in großer Zahl aus ihren Bergen, um in Menschenkriegen zu kämpfen, doch ihre eigenen Kriege waren legendär. Ein kampfbereiter Zwerg stand einem Minotaurus außer in Größe und Körperkraft in nichts nach, und diese beiden Nachteile machte er häufig durch größere Schläue wett.

Der siebente Tag führte Dahrin und seine Leute an zwei Dörfern vorbei, deren Bauern sich alle auf den Feldern befanden, als die Räuber aus dem Wald hervorstürmten. Die Bauern flohen vor Schreck und schlugen im Rennen Alarm.

Anstatt die Tore zu verrammeln, ließ eines der Dörfer sie offen. Aus diesen offenen Toren donnerte plötzlich ein halbes Dutzend Berittener heraus, die so gut ausgerüstet waren und so fest im Sattel saßen, daß Dahrin einen Augenblick befürchtete, er wäre auf Ritter von Solamnia gestoßen.

Doch statt frontal anzugreifen, schlugen die Berittenen einen weiten Bogen um die fliehenden Dorfbewohner. Sie ritten auf Dahrins Flanke zu und griffen dann dort in so breiter Linie an, wie dies sechs Mann möglich war, so daß sie für die meisten Bogenschützen in Dahrins Haupttrupp nicht erreichbar waren.

Die Reiter schlugen hart und gekonnt zu. Sie spießten zwei von Dahrins Männern mit Lanzen auf, und ein dritter fiel mit zertrümmertem Schädel. Zwei weitere Räuber wurden verwundet, und ein Reiter war schon aus dem Sattel gesprungen, um Gefangene zu machen, als Dahrins Schützen endlich auf Schußweite angerannt kamen.

Da die Männer aufgeregt waren, verfehlten viele Pfeile ihr Ziel und hätten beinahe noch mehr Verletzte in den eigenen

Reihen zur Folge gehabt. Aber immerhin fielen zwei feindliche Pferde, und insgesamt vier Männer stürzten von ihrem Reittier; der eine Reiter war mit Pfeilen gespickt, und Dahrin ritt vor, um sich die anderen Abgeworfenen vorzunehmen.

Aber er kam nicht dazu. Die beiden übriggebliebenen berittenen Gegner wendeten hart ihre Pferde und stürmten auf Dahrin zu. Die Schützen konnten nicht schießen, weil Freund und Feind hoffnungslos vermengt waren, und während Dahrin sich bemühte, die Kunst des Schwertkampfs vom Pferderücken aus auszuüben, kletterten zwei der abgeworfenen Männer auf das Pferd ihres toten Kameraden.

Dann setzten alle Überlebenden die Sporen ein und waren in den Wald verschwunden, noch ehe die Schützen begriffen, daß sie wieder frei zielen konnten. Dahrin sprang aus dem Sattel, denn er hoffte, daß wenigstens der eine der beiden gestürzten Männer noch am Leben war und reden konnte, aber zwei Pfeile hatten das Gesicht des Gegners so durchbohrt, daß er für immer schweigen würde.

»Das«, sagte Dahrin, »war nicht gut. Wir sollten den Feind ärgern, seine Stärke prüfen und Gefangene machen. Anscheinend hat Aurhinius seinen Offizieren denselben Befehl erteilt – und heute haben seine Späher seinen Befehlen besser gehorcht als wir denen Waydols.«

In dieser Nacht entzündeten die Räuber kein Feuer in ihrem Lager und stellten zusätzliche Wachen auf für den Fall, daß die überlebenden Reiter aus Istar zurückkehren und entweder Dunkelheit und Überraschungsmoment oder aber eine größere Truppenstärke auf ihrer Seite haben würden. Die Nacht verging jedoch ohne Aufregung oder Trost, und bei Tagesanbruch zogen die Räuber wieder weiter.

Die nächsten paar Tage hätte das Land auch ganz unbewohnt sein können, so wenig sahen Dahrin und seine Begleiter von den Rassen, die die Götter geschaffen hatten. Es gab Höfe und Dörfer und sogar eine Stadt, um die sie einen weiten Bogen machten, weil sie fürchteten, sie könne eine Garnison oder Spähtrupps beherbergen. Aber alles war entweder verlassen oder – was Dahrin für wahrscheinlicher hielt – sollte nur so aussehen.

Sie gingen dazu über, bei Nacht weiterzuziehen, weil sie vermuteten, daß die ansässige Bevölkerung beschlossen hatte, ihren Geschäften bei Nacht nachzugehen, wenn die Straßen frei von Räubern waren. Doch damit erreichten sie nur, daß sie sich jede Nacht mindestens zweimal hoffnungslos verirrten und daß drei Männer einmal so weit vom Weg abkamen, daß sie in Treibsand gerieten, aus dem nur einer lebend wieder herauskam.

Dahrin stand mit seinen Unteroffizieren etwas abseits, als Imsaffor Sauseschritt seinen Hupak benutzte, um eine Totenklage für die verlorenen Männer anzustimmen, wobei er einen Kendertanz vollführte, der den Räuberhauptmann an ein Hühnchen auf heißen Kohlen denken ließ. Als Musikinstrument gebraucht, erzeugte die Kenderwaffe namens Hupak ein tiefes Grollen, das Dahrin an Brecher an der Küste einer fernen, von Geistern heimgesuchten See erinnerte.

Was ziemlich gut zu seiner augenblicklichen Stimmung paßte, wie er zugeben mußte. Die Räuber waren mit der Absicht ausgezogen, den Kampfgeist der Istarer zu mindern oder wenigstens ihre Reihen zu lichten. Bisher waren jedoch sowohl die Moral als auch die Truppenstärke der Räuber deutlicher geschwächt als die ihrer Gegner.

Waydol würde mit seinem Erben noch unzufriedener sein, als dieser Erbe im Augenblick ohnehin schon mit sich selbst war.

»Was jetzt?« fragte Pertig Temperer und faßte damit die Gedanken aller in zwei schroffe Worte.

Dahrin nahm den Abschied von den Toten als Entschuldigung dafür, noch ein Weilchen zu schweigen. Aber viel Zeit blieb ihm nicht, denn Sauseschritt beendete soeben seinen Tanz, schwang sich den Hupak über die Schulter und kletterte auf den nächsten hohen Baum.

»Ich schätze, er hofft von dort etwas zu sehen, ohne selbst gesehen zu werden«, sagte der Zwerg. »Die Götter achten auf Einfältige, Kinder und Betrunkene, und ein Kender fällt in zwei von diesen drei Kategorien.«

»Na, na«, setzte der Zweite Unteroffizier Kindro verärgert an, der eine ausgesprochene Vorliebe für Kender hatte. Er behauptete, sie wären dazu geschaffen, die anderen Rassen daran zu erinnern, die Welt nicht so ernst zu nehmen. Es hieß sogar, er hätte für Kendermädchen mehr übrig als für die Männer, und aus diesem Grunde hätten die Kendermänner weniger für *ihn* übrig, als er sich gerne einbildete.

»Schluß damit«, sagte Dahrin. »Wir wissen, wo wir stecken, nämlich bis zum Bauch im Mist. Wir brauchen nicht auch noch über die Feinheiten des Gestanks zu reden. Die Frage ist, wie kommen wir hier raus?«

Bevor jemand etwas erwidern konnte, zischte ein Signalpfeil heran und blieb eine Schwertlänge von Dahrins Fuß im Boden stecken. Dann streckte Sauseschritt Kopf und Oberkörper so waghalsig aus den Ästen seines Baumes hervor, daß er beinahe kopfüber heruntergefallen wäre. Er fing sich gerade noch rechtzeitig, indem er die Beine um einen Ast schlang, und so hängend gab er Dahrin wilde Zeichen, daß eine kleine Gruppe wenig bewaffneter, unbekannter Männer zu Fuß nahte.

Dahrin und seine Offiziere verschwendeten keinen Atemzug auf Befehle. Jeder, der den Pfeil oder den baumelnden Kender gesehen hatte, gab die Warnung an die weiter, die außer Sichtweite waren, und die erfahrenen Männer in Dahrins Truppe gaben den neueren Kameraden Bescheid. Schneller, als Sauseschritt sich wieder auf den Ast schwingen und seinen Abstieg beginnen konnte, waren die Räuber bereit, ihre Gäste in Empfang zu nehmen.

Die Beobachtungen des Kenders waren wie üblich sehr präzise. Mitunter fragte sich Dahrin, wie eine normalerweise so unglaublich unzuverlässige Rasse einen so verläßlichen Späher wie Sauseschritt hatte hervorbringen können. Aber andererseits waren die wenigen Menschen, die eine Zeitlang in Kenderheim gelebt hatten, mit der Beobachtung zurückgekommen, daß Kender sehr umsichtig und nüchtern sein konnten, wenn ihr Haus und ihre Familie auf dem Spiel standen. Vielleicht hatte Imsaffor Sauseschritt beschlossen, daß Waydols Bande seine Heimat und Familie war. Das ergab ungefähr soviel Sinn wie jede andere menschliche Feststellung über Kender.

Vier Männer betraten die Lichtung. Sie waren sich offenbar dessen bewußt, daß sie beobachtet wurden, zeigten aber keine Anzeichen von Furcht. Einer von ihnen hatte einen großen irdenen Topf dabei, ein anderer trug einen Korb auf dem Rücken. Der dritte war mit Paketen, Beuteln und Dolchen beladen, und der vierte hatte als einzige Last einen Eberspeer dabei, der beinahe groß genug für Waydol gewesen wäre.

»Äh ... wo ist der Minotaurus?« fragte der Speerträger in keine bestimmte Richtung, als ob er eine Antwort von der Erde, der Luft oder den Bäumen erwartete.

»Ich bin der Erbe des Minotaurus Waydol«, sagte Dahrin und trat vor. Er machte sich nicht die Mühe, seine verstreuten Waffen aufzusammeln, da unter den vieren kein Mann war, mit dem er nicht mit bloßen Händen fertig geworden wäre. Vorausgesetzt natürlich, daß die verborgenen Bogenschützen ihm nicht zuvorkamen und alle Besucher beim ersten Anzeichen von Verrat zur Strecke brachten.

»Dann bieten wir dir diese Geschenke dar«, sagte der Speerträger. Er hielt den Eberspeer waagrecht in die Höhe und legte ihn dann Dahrin zu Füßen. Der junge Hauptmann sah, daß der Schaft sauber bearbeitet war und den Händen festen Halt bot und daß Spitze und Verstärkungsteile gute Zwergenarbeit waren.

Der Topf, von dem ein verführerischer Honigduft ausging, gehörte ebenso zu den Geschenken wie der Korb, der mit Kuchen gefüllt war. Der Kuchen roch nach einem Kräuterzusatz, den Dahrin kannte, aber nicht benennen konnte. Feierlich hob er den Speer, tauchte einen Finger in den Honig, leckte ihn ab und brach dann den Kuchen in zwei Hälften. Die Hälfte, die er nicht aß, reichte er dem Anführer der Neuankömmlinge.

Der Mann verschlang den Kuchen mit mehr Appetit als Feierlichkeit, wischte sich die Krumen vom Bart und runzelte die Stirn. »Also nehmt ihr unsere Friedensgaben an?«

»Das hängt davon ab, welche Art von Frieden ihr uns anbietet«, erwiderte Dahrin, und seine Offiziere nickten. »Wenn der Preis des Friedens mit euch zu hoch ist, bekommt ihr zumindest diese Geschenke zurück, damit ihr eure Heimreise übersteht. Wir werden euch auch nicht als Geiseln nehmen oder auf dieser Reise über euch herfallen.«

Die Männer sahen einander an. »Offenbar ist die Ehre von Waydol und Dahrin keine Legende«, sagte der Anführer.

Ein anderer nickte. »Aurhinius hätte so ein Angebot niemals gemacht.«

Dahrin beherrschte seine Stimme mit derselben Sorgfalt, die er darauf verwendet hätte, sich durch kein Geräusch zu verraten, wenn er mit leeren Händen neben einem Forellenteich lauerte. »Aurhinius? Der General aus Istar?«

»Eben der«, sagte der Anführer. Dann redeten die anderen drei Männer auf einmal alle durcheinander. Sie mußten erst außer Atem kommen, ehe Dahrin begreifen konnte, was sie ihm sagen wollten.

»Aurhinius hat eine Garnison in eurer Gegend?«

Sie nickten.

»Und ihr wünscht, daß wir sie vertreiben?«

Ein Mann nickte, die anderen drei schüttelten den Kopf.

»Laßt es mich erklären«, sagte der Anführer schließlich. »Wir können dich nicht bitten, gegen Aurhinius oder auch nur gegen die kleine Abteilung Soldaten zu kämpfen, die er zurücklassen wird, wenn er wieder weiterzieht. Er ist zu stark, als daß ihr es mit ihm aufnehmen könntet, und selbst wenn ihr gewinnt, müßten wir zwischen Ruinen und Asche weiterleben. Nein, wir wollen vielmehr, daß ihr Aurhinius und seine Männer von unseren Dörfern fortlockt, damit wir verstecken können, was sich sonst vielleicht die Soldaten nehmen. Aurhinius hält unter seinen Männern strenge Disziplin, was Frauen angeht, aber nur ein Gott könnte einen Soldaten von Met oder einer goldenen Halskette fernhalten.«

Dahrin nickte langsam. Ein Lächeln huschte über sein Gesicht. Wenn die Dorfbewohner Aurhinius der Demütigung preisgeben konnten – je weniger blutig, desto besser – würden die Räuber ihren Sieg bekommen, ohne daß die Gefahr bestand, daß sie monatelang im Land herumziehen mußten, bis ihnen womöglich schließlich der Rückweg abgeschnitten würde oder sie die Festung bei der Heimkehr belagert vorfänden.

Dahrin wandte sich an seine Offiziere.

»Es könnte eine Falle sein«, gab Pertig zu bedenken.

Kindro zuckte mit den Schultern. »Dafür haben wir die berittenen Späher – solange wir sie außer Sichtweite dieser Leute halten«, fügte er vielsagend hinzu.

Dahrin ließ den Tonfall kommentarlos durchgehen. Kindro war, ehe er zu Waydol gestoßen war, schon fast so lange Söldner gewesen, wie Dahrin lebte. Er war nicht eifersüchtig darauf, daß der Jüngere Waydols Erbe war, aber er dachte – und

82

mitunter sagte er es auch –, daß Dahrin lieber von der Erfahrung seiner älteren Begleiter Gebrauch machen sollte.

»Das versteht sich von selbst«, sagte Dahrin. »Laßt uns in Erfahrung bringen, wo Aurhinius liegt, und den besten Weg dorthin ausfindig machen. Dann schicken wir drei oder vier unserer besten Späher auf einem anderen Weg dorthin. Auch Sauseschritt wird dabeisein«, fügte er in einem Ton hinzu, der Pertig den Wind aus den Segeln nahm.

»Einverstanden«, sagten die beiden Unteroffiziere einstimmig.

Dahrin wandte sich wieder an die vier Besucher. »Also, es wäre gut, wenn wir alles so einfädeln, daß Aurhinius keine Ahnung hat, welche Rolle ihr bei der Sache gespielt habt. Wenn er nichts ahnt, wird er weniger geneigt sein, Häuser zu verbrennen und Geiseln zu nehmen, ganz zu schweigen von schlimmeren Bestrafungen.«

»Das ist richtig«, bestätigte der Anführer der Dorfbewohner. »Er ist ein Krieger, der Kiri-Jolit folgt und nicht Hiddukel.«

Hiddukel war der Gott der Bestechung, der Arglist und des Diebstahls.

Dahrin schlug dem Anführer auf den Rücken – so fest, daß der Mann ins Wanken kam. »Verzeihung«, sagte der Räuberhauptmann. Der Mann würgte eine Art Erwiderung heraus.

Es war eine ganze Weile her, daß Dahrin seine Kraft so vergessen hatte, doch er hatte Gründe, wenn auch keine Rechtfertigung auf seiner Seite. In einem Wettstreit der Klugheit und Stärke gegen einen ebenso ehrenhaften wie vortrefflichen Gegner, in dem Fall Aurhinius, anzutreten, und dies ohne großes Risiko, daß Unschuldige leiden oder umkommen könnten – das war die größte Freude, die ein Mann oder Minotaurus sich vorstellen konnte.

Dahrin schwor sich, Kiri-Jolit ein Opfer zu bringen, wenn er den anstehenden Wettstreit gewinnen sollte. Er betete auch kurz, daß die Ehre Aurhinius dazu anhalten würde, dasselbe zu tun, wenn der Sieg ihm zufiel.

Die Arbeit der Späher bestand weniger aus der Suche nach Aurhinius. Vielmehr hatten sie dafür zu sorgen, daß er nicht so auf die Räuber stieß, daß diese im Nachteil waren. Ohne die Arbeit der Reiter hätten sich die zwei Kompanien womöglich an einem Kreuzweg getroffen, der von halbhohen Vallenholzbäumen umstanden und von bröckelnden Schreinen umgeben war, welche so alt waren, daß niemand mehr sagen konnte, welchen Gott sie ehrten.

So jedoch ritt ein Späher zurück, um Dahrin vom weiteren Vorrücken abzuhalten. Zwei andere folgten Aurhinius und seinen Truppen, bis die Landschaft für ein sicheres Vorwärtskommen zu rauh wurde. Wenn sie nicht ritten, kamen die Istarer in einem Tempo voran, mit dem ein geschickter Kender wie Imsaffor Sauseschritt gut mithalten konnte – so daß er berichten konnte, wann und wo sie ihr Lager aufschlugen.

»Es ist ganz gut, daß wir nicht vorhaben, sie zu einem Entscheidungskampf zu zwingen«, sagte Dahrin, nachdem er die Beschreibung des Kenders angehört hatte. »Aurhinius hat einen guten Blick fürs Gelände.« Er räusperte sich. »Oder möchte etwa jemand meinen Plan für diesen Kampf in Frage stellen?«

Ein paar Männer sahen ihm nur widerwillig in die Augen, aber Dahrin blickte sie unverwandt an, bis sie schließlich nickten. Was diese Männer einzuwenden gehabt hätten, spielte jetzt ohnehin keine Rolle. Er und Waydol wußten schon lange, daß es in ihrer Bande Menschen und vielleicht auch Angehörige anderer Rassen gab, die Istar der Mächtigen Blutrache geschworen hatten. Eines Tages würde vielleicht der Zeitpunkt kommen, zu dem man ihnen die Zügel schießen ließ. Aber nicht jetzt.

»Nun denn. Der Haupttrupp hat die Aufgabe, den Rückzug derjenigen zu decken, die das Lager angreifen. Das bedeutet, daß ihr euch aufteilen müßt, damit beide Wege abgesichert sind, obwohl ich hoffe, auf dem einen hineinreiten zu können und auf dem anderen wieder hinaus.«

»Und wenn diese Bewegungen bis nach Einbruch der Dunkelheit dauern oder wir dadurch den Vorteil des Überraschungsmoments verlieren?« warf jemand ein.

»Nach Einbruch der Dunkelheit hat eine kleine Gruppe gegen eine große noch bessere Chancen. Wenn wir allerdings vorher entdeckt werden, werden wir einen anderen Weg finden, Aurhinius unter seiner feinen Rüstung das Fell jucken zu lassen.«

»Seine Rüstung kümmert mich nicht«, sagte Sauseschritt. »Gebt mir nur den goldenen Helm, auf den er so stolz ist.«

»Was denn noch alles?« fragte Pertig Temperer.

»Oh, in Sachen Mode scheint Aurhinius bei seinen Männern den Ton anzugeben. Sie haben bestimmt einige interessante Sachen dabei.«

»Mehr als sechs Kender mitnehmen könnten«, unterbrach ihn Pertig. »Sauseschritt, wir haben schon viele Kämpfe und ein paar echte Schlachten zusammen erlebt, darum hör auf meinen Rat. Geh nur rein und wieder raus, so schnell ein Kender je gewesen ist.«

»Und was habe ich davon?« erwiderte Sauseschritt. Kender pflegten nicht zu murren, jedenfalls nicht in Anwesenheit anderer Rassen, aber Sauseschritt stand jetzt kurz davor.

»Dein Leben«, konstatierte Pertig knapp. »Mein Freund, wenn wir dich retten müssen, weil du zwischendurch noch im Istarer Lager sammeln gehst, dann erwürge ich dich.«

»Wenn ich im Lager sammeln gehe, werde ich wohl kaum so lange leben, daß du mich noch erwürgen kannst«, fauchte Sauseschritt zurück.

»Also schön«, sagte Pertig. »Notfalls stecke ich, wenn die Istarer mit dir fertig sind, deine Einzelteile in einen Sack und nehme sie mit nach Hause. Ich lasse sie von Sirbones wieder in einen lebenden Kender zurückverwandeln, und *dann* erwürge ich dich.«

»Macht das nach dem Kampf aus, ja?« mahnte Dahrin die beiden. »Im Augenblick haben wir gerade noch genug Zeit, um etwas zu essen und ein wenig zu schlafen, ehe wir weiterziehen. Wir können es uns nicht leisten, darauf zu verzichten, wenn wir hinterher die halbe Nacht um unser Leben rennen wollen.«

Dahrin sah, daß seine Worte die meisten Männer ernüchterten. Diese Schlacht mochte wie ein Kinderspiel aussehen, aber sie richtete sich gegen Istar die Mächtige, zu deren Gunsten reichlich kräftige Soldaten sprachen, auch wenn es denen vielleicht an Mut mangelte. Bei einem solchen Kampf konnte man nie sicher sein, wie das Blatt sich wendete.

Aus dem Lager herauszukommen würde leichter sein, als hineinzugelangen. Der Zugang war ein ebener, für die Pferde gut passierbarer Weg, der allerdings gerade mal breit genug war für zwei Mann. Dahrin sorgte dafür, daß dort, wo der Weg ins offene Gelände mündete, auf jeder Seite mehrere Männer versteckt waren, damit er nicht so leicht von wachsamen Istarern gegen die Reiter blockiert werden konnte.

Einer der versteckten Männer war Sauseschritt. Pertig fand, das wäre, als würde man einem Trunkenbold die Schlüssel zum Weinkeller anvertrauen; Kindro sagte, Pertig dächte nur mit dem Bauch; Dahrin befahl beiden, still zu sein, und er bediente sich dabei nicht gerade höflicher Worte.

Die sechs berittenen Männer trugen alle ihre eigene Auswahl an Waffen für den Nahkampf, dazu Lederrüstung und Messinghelm. Außerdem hatten sie gute, feste Keulen an den

Sätteln hängen, die einzigen Waffen, die sie vom Pferderücken aus so benutzen konnten, daß sie für den Feind gefährlicher waren als für ihre eigenen Pferde oder Kameraden.

Wir sind nicht gerade das, was die Götter gegen die erfahrene Kavallerie von Istar ausgeschickt hätten, dachte Dahrin, als er sich vorsichtig in den Sattel setzte. Diesmal waren die Gurte so fest angezogen, daß der Sattel nicht verrutschte, aber Dahrin fühlte, wie der Pferderücken sich durchbog, und er glaubte, das Tier ächzen zu hören.

Außer, die Götter hätten die Nacht durchgetrunken und wären zu dreisten Scherzen aufgelegt, überlegte er weiter. Dann empfahl sich Dahrin der Gnade der Götter, stieß seinem Pferd die Absätze in die Flanken und merkte, wie das Tier sich nach einer quälend langen Wartezeit in Bewegung setzte.

Aurhinius konnte nicht wissen, daß Feinde in der Nähe waren, aber er war ein erfahrener Soldat, der wußte, daß er sich nicht gerade in Freundesland befand. Auf jeder Seite des Weges war ein aufmerksamer, gutbewaffneter Wachtposten aufgestellt.

Dort verharrten die beiden Männer bis zu dem Moment, als Dahrins Reiter in Sicht kamen. Doch in dem Augenblick, als die Posten den Mund aufrissen, um Alarm zu schlagen, sausten auch schon Lehmkugeln aus dem Wald heran und trafen sie im Nacken. Beide Männer fielen schlaff und – bis auf das leise Rascheln, als das Schwert des einen gegen ein Gebüsch schlug – geräuschlos zu Boden.

Einer der Absender der Lehmkugeln, Imsaffor Sauseschritt, sprang auf Dahrins Pferd und klammerte sich am Räuberhauptmann fest. Dahrin schossen mehrere Flüche durch den Kopf, ihm blieb jedoch keine Zeit, sie auszustoßen.

»Warum laufen, wenn man reiten kann?« flüsterte Sauseschritt.

Dahrins Erwiderung war lauter. Das überladene Pferd

mußte sie gehört haben, denn es schnaubte laut, dann ging es vom leichten Trab in einen schnelleren über. Als es das offene Gelände erreichte, verfiel es sogar in einen leichten Galopp.

Auf der anderen Seite der Lichtung, nicht mehr als zwanzig Schritte entfernt, stand ein rotgesichtiger, untersetzter Mann, dem ein Bediensteter gerade die versilberte Rüstung an Brust und Rücken festschnallte. Ein anderer hielt einen goldenen Helm in der Hand, aus dem drei tiefrote Federn emporragten. Der rotgesichtige Mann hatte einen dunklen, gelockten Bart und Kleider aus bestickter Seide.

Der Zufall hatte Dahrin Aurhinius auf dem Silbertablett serviert. Der Räuberhauptmann brauchte keine Zelte zu durchsuchen, mußte nicht darauf warten, daß der Mann das Pferd bestieg und angriff – doch das Glück war leider nicht perfekt.

Aurhinius stand auf der einen Seite einer Reihe Fässer und Truhen. Dahrin und seine Kameraden saßen auf der anderen Seite im Sattel. Wenn ihren Pferden nicht plötzlich Flügel wuchsen, hatten sie keine Möglichkeit, über diese Fässer hinwegzugelangen.

Für Kender sah die Sache allerdings ganz anders aus. Dahrin fühlte, wie Sauseschritt ihm die kleinen Hände auf die Schultern legte und sich hochstemmte. Dann sprang der Kender ab und schlug in der Luft einen doppelten Salto. Leicht wie ein Vogel flog er über die Fässer hinweg und landete neben dem Diener mit dem Helm.

»Entschuldige bitte, aber das ist ein schönes Stück«, hörte Dahrin den Kender sagen, während er sein Pferd um das Ende der Faßreihe herumtrieb.

Die Antwort des Dieners sollte besser nicht wiederholt werden, obwohl das Echo dies noch tat, als Sauseschritt schon zwischen Aurhinius und dem anderen Diener hindurchschoß.

Dahrin kam um das Ende der Fässer herum und streckte eine Hand nach unten aus. Ohne zu zögern, klemmte Sauseschritt sich den goldenen Helm unter den linken Arm und griff mit dem rechten nach Dahrins Hand.

Der Kender hievte sich in den Sattel, und Dahrin stieß seinem Pferd wieder die Fersen in die Seiten, worauf das Tier in einen schnellen Trab verfiel. Die Diener rannten ihm nach, doch da kamen schon die anderen berittenen Räuber hinter ihrem Anführer her. Die zwei Männer spritzten auseinander, ohne darauf zu achten, wohin sie sprangen. Daher landeten sie zwar unverletzt, jedoch schmerzhaft auf ihrem Allerwertesten. Aurhinius' Flüche stellten die seines Leibdieners an Deutlichkeit weit in den Schatten.

Gute Manieren standen auch nicht gerade im Vordergrund, als Dahrin seine Reiter durch das Lager führte. Die meisten Männer waren zu Fuß, und da auf beiden Seiten der Reiter Istarer standen, mußten selbst die Schützen, die ihren Bogen zur Hand hatten, abwarten.

Dahrin richtete den Blick auf eine Handvoll Männer, die, noch mit Futterbeuteln und Wassereimern bewaffnet, ihre Pferde versorgten. Aber es war ein Berittener, der die erste und größte Bedrohung darstellte.

Er stürzte aus dem Schatten hervor und direkt auf Dahrin zu. Er ließ die Zügel schleifen und lenkte sein Pferd mit den Knien, denn er hielt in einer Hand ein Schwert und in der anderen einen Dolch. Dahrin griff nach seiner Keule, merkte aber, daß der Riemen sich gelöst hatte und die Waffe irgendwann unterwegs heruntergefallen war.

Diesmal hielt er die Flüche nicht mehr zurück.

Imsaffor Sauseschritt verschwendete keine Zeit aufs Fluchen. Der Hupak über seiner Schulter war in jedem Fall eine Zweihänderwaffe, nicht das Beste für einen Kampf zu Pferd, von wo aus Kender ohnehin selten kämpften. Seine anderen Waffen hatten aber nicht genügend Reichweite.

Also warf er den Helm vom linken Arm in die rechte Hand

und fing ihn am Riemen auf. Mit der Linken hielt er sich an Dahrins Gürtel fest, und dann schwang er den Helm so weit und so fest wie möglich.

Seine Reichweite und Geschwindigkeit waren mehr, als der anstürmende Reiter erwartet hatte. Aber schließlich war der Mann nicht der erste, der die Stärke und Kampfkunst eines Kenders unterschätzt hatte.

Der Helm krachte gegen sein Schwert, gerade als er die Klinge herabsausen ließ. Der Reiter verlor erst die Kontrolle über das Schwert und dann über sein Pferd, denn die abgefälschte Klinge hätte dem Tier fast das linke Ohr abgeschnitten. Ein paar Augenblicke später stürzte der Reiter in hohem Bogen vom Pferd und landete mit einem mächtigen Platschen in einer Pfütze. Als die anderen Reiter an ihm vorbeitrabten, mühte er sich noch, auf die Beine zu kommen.

Mittlerweile hatte Aurhinius aufgehört, Flüche über die Räuber auszustoßen, und rief seine Männer zur Verfolgung auf. Die Verfolgung war jedoch von kurzer Dauer, denn die Bogenschützen am Zugangsweg begannen zu schießen – nicht um zu treffen, sondern mehr, um die Feinde abzulenken.

Womit sie einen bewundernswerten Erfolg hatten. Anstatt Dahrin nachzusetzen, suchten Aurhinius' Männer Schutz oder griffen nach ihren Schilden und bildeten einen Schilderwall gegen den Pfeilhagel.

Das war das Zeichen für Dahrins Schützen auf der anderen Seite der Lichtung. Auch sie begannen zu schießen und trafen die Istarer in den Rücken – oder wenigstens in die Beine. Aurhinius' Männer fluchten und heulten und tanzten wild herum, während sie gleichzeitig versuchten, ihre Schilde hochzuhalten, die Waffen zu schwingen und dabei noch die Pfeile aus ihren Wunden zu entfernen. Doch da sie keine drei Arme hatten, war das Unterfangen zum Scheitern verurteilt.

Die meisten der unberittenen Männer hatten angefangen,

sich besser aufzustellen, als Dahrins letzter Reiter über den Pfad in den Wald verschwand. Einige waren sogar schon aufgesessen, und sie trieben ihre Pferde hinter Dahrin her.

An ihrer Spitze ritt Aurhinius persönlich – ohne Rüstung, mit Rissen in seinen inzwischen völlig schmutzigen, grasfleckigen Seidenkleidern. Er hielt sein Schwert in der Hand, und auf seinem Gesicht lag ein Ausdruck, von dem Milch sauer und der beste Wein zu Essig geworden wäre.

Außerdem ritt er mit leicht gesenktem Kopf. Deshalb war es ein anderer Reiter aus Istar, der die in den Bäumen lauernden Gestalten entdeckte und Alarm schlagen wollte.

Das wäre ihm auch gelungen, wenn nicht die zusätzlichen Gewichte, mit denen Pertig das Netz versehen hatte, dieses herunterrissen, ehe die Reiter anhalten konnten. Sie ritten direkt in das Netz, das in Mannshöhe über den Weg gespannt und sicher an Bäumen und beiden Seiten des Weges befestigt war.

Die Stämme waren vorsorglich halb durchgesägt worden, und als durch die vielen Reiter ein kräftiger Ruck durch das Netz ging, brachen die Bäume knapp unterhalb der Stelle ab, wo das Netz befestigt war. Es gab ein Krachen, als würde ein Haus einstürzen. Das Netz kam herunter, ohne die Reiter zu töten – die Pferde allerdings hatten weniger Glück –, aber es versperrte den Weg und verhinderte damit eine Verfolgung hoch zu Roß genauso erfolgreich, als hätte sich eine Flammengrube aufgetan.

Dahrin meinte wieder Aurhinius' Stimme unter den Fluchenden auszumachen, während er sein schwankendes, schäumendes Pferd zu einer letzten Anstrengung antrieb. »Ich hoffe, du schaffst es aus eigener Kraft, mein Freund«, ermahnte er das Pferd und klopfte ihm auf den schweißnassen Hals. »Wir haben keine Zeit, Pferde zu verarzten.«

Immerhin konnte das Tier noch außer Sichtweite der Feinde taumeln, nachdem Dahrin und Sauseschritt abgestiegen waren. Die anderen Pferde folgten ihm. Keines von ihnen war so zum Umfallen müde wie Dahrins Roß, aber schließlich hatte auch keines eine solche Last getragen.

»Ich frage mich, ob die Istarer ihnen nachlaufen werden«, sagte einer der Männer.

»Eine Weile vielleicht«, erwiderte Dahrin. »Aber sie werden in der Lage sein, ein berittenes Pferd von einem zu unterscheiden, das frei herumläuft. Sie werden bestimmt bald nach unserer Fährte suchen – aber nicht so bald, daß sie uns auch finden können – vorausgesetzt, daß wir jetzt nicht weiter herumstehen, sondern nach Hause ziehen.«

»Keine Überfälle mehr? Dabei haben wir doch die Istarer gerade zum Summen gebracht, als hätten wir in einen Bienenstock getreten«, wandte einer derjenigen ein, die Istar bluten sehen wollten.

»Nein. Wir sind die Bienen, und wir haben Aurhinius vorläufig genug gestochen. Wenn wir weiter herumschwirren, holt er die Räuchertöpfe und Zauberer mit Giftsprüchen. Außerdem müssen wir auch an die Dorfbewohner denken, oder habt ihr vergessen, was wir ihnen schuldig sind?«

Sollte es jemand vergessen haben, wagte er jedenfalls nicht, es Dahrin ins Gesicht zu sagen. Statt dessen reihten sich die Männer hinter ihm ein, als er sie durch den Wald führte und dabei die gewohnte Umsicht darauf verwendete, Gelände zu finden, in dem sie keine Fußabdrücke oder abgeknickten Zweige hinterlassen würden.

Sie waren bereits tief im Wald, als Dahrin bemerkte, daß jemand fehlte. Rasch ging ein Flüstern durch die Reihen: »Wo ist dieser verflixte Kender?« Dahrin fügte nicht hinzu: »Wo ist der goldene Helm?«, denn das hätte womöglich erst recht Panik ausgelöst.

Er wollte gerade seine Leute leise anweisen, auszuschwärmen und mit der Suche zu beginnen, als eine kleine Gestalt sich von einem Baum herunterschwang, federnd auf dem Boden landete und auf Dahrin zurannte.

»Ich schätze, ich habe kein Recht zu erfahren, wo du gewesen bist?« sagte der Hauptmann.

»Oh, doch, gewiß, aber es war gar nichts Besonderes. Ich habe den Riemen des Helms zerrissen, als ich ihn geschwungen habe. Billige Arbeit! Aurhinius sollte sich bei seinem Rüstungsschmied beschweren und sich einen anständigen Riemen besorgen. Ich dachte, du willst bestimmt nicht, daß ich den Helm deswegen verliere. Darum bin ich auf einen Baum gestiegen und habe ein paar Ranken abgeschnitten, damit ich ihn tragen kann.«

Sauseschritt tanzte einmal im Kreis herum und zeigte Dahrin, wie er den goldenen Helm mit einem Gewebe aus Ranken auf seinem Gepäck festgebunden hatte. Dann wirbelte er noch einmal herum, während er seinen Hupak abnahm.

Dahrin hielt ihn auf, bevor er den Hupak zum Klingen bringen konnte. Mehrere Männer schworen, sie würden ihm dabei nur zu gern helfen. Einer erwähnte sogar ein altes Familienrezept für Kendereintopf.

»Wirklich?« fragte Sauseschritt. »Onkel Fellenspringer sagt, er hätte auch noch eins, aus einer Zeit, als mal ein Haufen Kender belagert wurde. Ich habe vergessen, ob es Oger oder Minotauren waren. Nein, wartet, ich glaube, es war auf einer Insel, und überall waren Wassertrolle rundherum ...«

»Später«, sagte Dahrin und versuchte Sauseschritt mit einem festen Griff an den Kragen zum Schweigen zu bringen.

»Oder haben sie einen Weg gefunden, die Wassertrolle zu essen ...?« hörte Dahrin noch, als Sauseschritt außer Reichweite tänzelte.

Er seufzte. Siege kamen und gingen, wie es das Schicksal und die Götter wollten. Aber Kender änderten sich nie.

Kapitel 6

Sich auf ein Abenteuer oder auch nur auf eine Reise vorzubereiten war nicht gerade unkompliziert, wenn man ein Ritter von Solamnia war.

Daher war dies einer der seltenen Zeitpunkte, in denen Pirvan sein jüngeres Selbst beneidete. Immerhin hatte jener jüngere Pirvan nicht viel besessen, das er nicht auf dem Rücken tragen konnte, und auch niemanden gehabt, dem er mehr als einfach Lebewohl sagen mußte. Und auch das nur aus Höflichkeit und mitunter überhaupt nicht, wenn er nicht wollte, daß seine Abreise sich herumsprach.

Und wenn er sein Ziel erreicht hatte, hatte er nicht viel zu tun gehabt, und auch das nicht in großer Eile, sofern er nicht gerade ein neues Haus für ein Nachtwerk suchte. Sicher, er hatte ein Dach über dem Kopf und etwas zu essen gebraucht, aber eine Fülle preiswerter Gasthäuser hatte jederzeit beides geboten, und in manchen davon gab es wenig Flöhe und mitunter sogar willige Kellnerinnen.

Jetzt hingegen kam Pirvan der Aufwand für eine Reise so groß vor, als wollte man eine ganze Kavallerie auf einen Feldzug schicken. Er mußte Anweisungen erteilen – an die Krieger, die zurückblieben, desgleichen an die Diener, desgleichen an die Verwalter von Haus und Gut, die Dorfvorsteher und all die anderen, die Gut Tiradot durch böse Absicht oder Sorglosigkeit ruinieren konnten. Er mußte die Pferde in den Ställen überprüfen (falls welche ungeeignet waren) und alles, was man

benötigte, um ein einfaches Pferd in ein Herrenroß zu verwandeln, dazu Vorräte, Zelte, Geld und alles andere, das man
brauchen konnte, wenn eine Tagesreise fern einer anständigen
Taverne endete (die Sorte, die schon nicht billig gewesen war,
als Pirvans Börse noch mager war, und die nicht billiger geworden war, jetzt, da die Börse fett war).

Waffen – wenigstens hier gab es nicht so viele schwere Ent-
scheidungen und keine so lange Liste, Kiri-Jolit sei gepriesen!
Pirvan wußte, daß er noch längst nicht alle Waffen beherrschte, mit denen ein wahrer Ritter von Solamnia umzuge-
hen wissen mußte. Daß Haimya ihm mit dem Breitschwert
noch immer überlegen war, bedeutete immerhin, daß er eine
gute Lehrerin hatte.

Die Waffenkammer hielt für Pirvan nur Schwert und Dolch
bereit, für Haimya zwei Schwerter und einen Schild, dazu für
jeden eine leichte Rüstung – ein Helm und ein Schutz für Brust
und Rücken. Außerdem hatten sie verschiedene Geheimwaf-
fen – verborgen nicht nur vor den Augen der Vorbeigehenden,
sondern auch vor dem Waffenmeister, der so etwas den Rittern
von Solamnia zu melden hatte.

Pirvan hatte keine Ahnung, welche Strafe einem Ritter von
Solamnia drohte, der heimlich einen geladenen Rohrstock
oder einen Stockdegen mit sich führte. Er wußte jedoch, daß
er es vorzog, am Leben zu bleiben, um es selbst herauszufin-
den.

Dann waren endlich all die Tage der Vorbereitungen ver-
strichen, alles war gepackt oder in die Lager zurückgebracht,
und selbst die Pferde schienen ungeduldig dreinzuschauen,
wann immer Pirvan durch den Hof lief. Das tat er am letzten
Tag einige Male, während er sich innerlich von dem Ort ver-
abschiedete, der ihm so zur Heimat geworden war, wie er es
niemals erwartet hätte. als sein neuerworbener Rang ihn noch
drückte wie ein schlecht passender Helm.

Er und Haimya waren schon oft für die Angelegenheiten der Ritter ausgezogen und ein paar Mal in eigener Sache. Zumeist hatten sie sich größeren Gefahren gestellt als denen, die diese Reise vermutlich mit sich bringen würde.

Doch der Abschied vom Gut war zum Ritual geworden, und Pirvan vermutete, daß sein Geist den Abschiedsspruch selbst noch beim letzten Abmarsch aufsagen würde, wenn man Pirvans sterbliche Hülle zum Friedhof jenseits des Flusses tragen würde.

Und noch ein Lebewohl mußte gesagt werden, doch das war kein Ritual, denn es galt Gerik und Eskaia. Kein Ritual, weil diese beiden bei jedem Abschied mehr darüber wußten, was ihre Eltern vorhatten, als bei dem Mal davor. Was sie vorhatten und was sie aus dieser Welt reißen konnte, ohne auch nur eine Leiche zu hinterlassen.

Es gab Zeiten, wo Pirvan an den Worten des Lebewohls fast erstickte. Er hätte lieber andere Worte gesagt, Worte wie: »Sollen die Oger doch Sir Gehbian holen und alles, was ihm gehört. Wir bleiben zu Hause.« Die Sache mit Sir Gehbian von Juhrwald hatte Pirvan seinerzeit Kopfschmerzen beschert und Haimya ein monatelanges Hinken, und ohne außerordentlich gute Heilersprüche wäre keiner von beiden wieder nach Hause zurückgekehrt.

Pirvan träumte davon, solche Worte auszusprechen, aber in seinen Träumen sprangen die Kinder nicht, wie in Wirklichkeit, freudestrahlend herum und umarmten ihre Eltern. Statt dessen wurden sie mürrisch und böse und murmelten Worte wie »Ehre« und »Ihr seid nicht mehr, was ihr mal wart«, und andere Sätze, die wenig kindlichen Respekt, aber eine Menge schmerzhafter Wahrheit enthielten.

»Wir haben sie wahrhaftig erzogen«, sagte Haimya eines Nachts, als Pirvan ihr seine Träume berichtete. »Wahrhaftig von Grund auf, das kann man nicht bestreiten.«

»Wer bestreitet denn etwas?« sagte Pirvan, der nicht so leicht zu trösten war. »Aber denk daran: Jetzt müssen wir Lebewohl sagen, wenn wir losziehen. Bald werden wir nicht mehr Abschied nehmen müssen, weil sie mit uns reiten. Und dann kommt irgendwann der schlimmste Teil – wenn wir am Feuer sitzen und zusehen müssen, wie *sie* aufsitzen und wegreiten.«

»Alle beide?«

»Eskaia wird jeden Mann, der sie ans Feuer setzen und sticken lassen will, mit ihrer längsten und spitzesten Nadel erstechen. Und hast du dir überlegt, wie man Gerik ein Leben schmackhaft machen soll, das er kaum ehrenhaft nennen würde?«

»Bisher noch nicht. Anscheinend hat er von diesen kleinen Lords doch etwas Gutes gelernt.«

»Seine Mutter hat damit wohl nichts zu tun?«

»Weniger als sein Vater, würde ich ...«

Pirvan brachte sie mit einem Kuß zum Schweigen, und so wurde dieser merkwürdige Wortwechsel im Keim erstickt.

»Papa«, sagte Eskaia. »Darf ich dir eine Frage stellen?«

»Muß ich sie beantworten?«

»Ich glaube schon, denn es ist eine, auf die Gerik und ich eine Antwort brauchen.«

»Warum ist Gerik nicht da und fragt selbst?«

»Er ... ich glaube, er hat Angst.«

»Angst?« Pirvan runzelte die Stirn, dann sagte er mit gespielter Strenge: »Für jemanden, der Ritterblut in seinen Adern hat ...«

»Es ist ja gerade das Ritterblut, über das wir uns Gedanken machen«, rief Eskaia aus. »Alle beide. Was wird aus uns, wenn ihr nicht zurückkommt, du und Mama?«

Pirvan schaute zum Himmel. Kein Gott erschien, um Führung, Rat oder auch nur eine ablehnende Geste zu bieten, die ihm weismachen sollte, er würde dieses Problem ganz allein lösen müssen.

Für letzteres war Pirvan allerdings dankbar. Er hatte keine Lust, sich vorbeten zu lassen, was er ohnehin schon wußte.

Er wußte auch, daß es nicht um die Frage ging, wer Vormund der Kinder sein würde, wer für ihre Ausbildung bezahlen sollte, wie Eskaia zu einer Mitgift kommen und Gerik bei den Rittern eintreten sollte und so weiter. Das alles wußten die Kinder längst, und sie wären beleidigt gewesen, wenn er es zu oft wiederholte.

»Eskaia, ich weiß nicht genau, was du wissen willst. Wir haben euch doch schon alles erklärt.«

Das Mädchen bedachte seinen Vater mit einem mitleidigen Blick, den Pirvan nur zu gut kannte. Er besagte, daß Eskaia Pirvan – wäre er nicht ihr Vater gewesen – für zu hirnlos gehalten hätte, um ihn frei auf der Straße herumlaufen zu lassen.

»Hmm, es ist schwer, das richtig zu formulieren«, sagte sie.

»Versuche es. Ich höre allem zu, was ihr zwei zu sagen habt. Mama ebenfalls.« Wenigstens dieses eine Mal.

»Papa, wenn du stirbst und Mama auch, wer bringt uns dann bei, wie wir euch rächen können?«, sprudelte es aus dem Mädchen hervor.

Pirvan war sich darüber im klaren, daß ihm der Mund offenstand, während sein Verstand noch zu begreifen versuchte, daß seine Ohren ihm keinen Streich gespielt hatten.

Er schindete Zeit, indem er Eskaia umarmte, aber dann erklärte er ihr, was er mit »wahrhaftig erziehen« meinte.

»Soll das heißen, daß wir genauso gut kämpfen lernen wie du?« fragte Eskaia.

»Sogar so gut wie eure Mutter, die besser ist als ich«, sagte Pirvan. »Vergiß nicht, als ich noch ein Dieb war, hatte ich nur Waffen, um mich selbst zu verteidigen. Ich war kein Kämpfer.«

»Ja, es war sehr ehrenhaft von dir, daß du versucht hast, niemanden zu verletzen, wenn du zum Stehlen auszogst«, sagte Eskaia ruhig. »Aber wenn jemand dich und Mama tötet, verlangt unsere Ehre, daß wir ihn töten.«

»Allerdings«, bestätigte Pirvan. Er wurde das Gefühl nicht los, daß er seiner Tochter nur kurz den Rücken zugewandt hatte, und schon hatte sie sich in ein unbekanntes Wesen verwandelt. Er liebte Eskaia, sicher. Aber kennen – das war eine andere Geschichte.

Er dachte daran, ihr zu erklären, daß die Kinder der Ritter von Solamnia an andere Ehrbegriffe als Blutrache gebunden waren – oder sich wenigstens als an solche gebunden betrachten sollten. Nach allen Klagen zu urteilen, die Pirvan von seinen Kameraden gehört hatte, ließen selbst jene Kinder, die am wahrhaftigsten erzogen wurden, ihren Vätern am Ende manchmal die Haare zu Berge stehen.

Also wählte er lieber eine näherliegende Art, Eskaia zu beruhigen. »Ihr werdet in allem unterwiesen, das ihr brauchen könnt, und zwar von allen, die für euch sorgen«, sagte Pirvan fest. »Aber macht euch erst Gedanken darüber, wie ihr uns rächen wollt, wenn wir tot sind und unsere Gegner nicht. Ich hoffe doch, daß du nicht glaubst, deine Mutter und ich wären eine leichte Beute?«

»Niemals!« sagte Eskaia und stampfte mit dem Fuß auf. Wenn man sie aufgefordert hätte, auf den Boden eines Tempels zu spucken, hätte sie kaum empörter sein können.

»Dann ist das also geregelt. Wir haben uns nur noch nicht Lebewohl gesagt. Wenn du deinen Bruder dazu bringen könntest herunterzukommen … Er braucht sich auch nicht erst zu waschen …«

Eskaia schoß wie der Blitz davon.

Inzwischen lag das Abschiednehmen und selbst das Herumrennen in letzter Minute nach unverzichtbaren Dingen, die sie noch vergessen hatten, einige Tage zurück. Die Reise von Tiradot nach Istar führte durch besiedeltes Land, wo es selbst in den Bergen gute Straßen gab und jederzeit genug ehrliche Leute, um die weniger ehrlichen abzuschrecken.

Nicht daß Pirvan und sein kleines Gefolge von dem üblichen Haufen Banditen und Gesetzloser etwas zu befürchten gehabt hätten. Sie waren zu offensichtlich bewaffnet und kampfbereit und sahen nicht nach Beute, sondern nach reichlich Prügel und dazu einer Verabredung mit dem Scharfrichter aus – für jene, die ihren eigenen unbedachten Angriff überhaupt überleben würden.

Tatsächlich verwandelten sich die Menschen in Pirvans Gesellschaft zuweilen praktisch in Wachen über gar nicht so kleine Karawanen. Fuhrleute, Packeselkolonnen, Pilger und gelegentliche Glücksritter, die außer dem Jucken in den Füßen keinen Grund hatten, auf der Straße zu sein – alle schienen sie bereit, in Rufweite eines Ritters von Solamnia und seines Gefolges zu reisen.

Es war während der langen, geruhsamen Tage auf der Straße in der Gesellschaft dieser Fremden, daß Pirvan eine ganze Menge mehr über die Herrschaft von Istar erfuhr – aus der Sicht der kleinen Leute. Für die Ritter von Solamnia stand alles im Licht einer fast tausendjährigen Geschichte. Für einfache Menschen hingegen begann die Welt mit der eigenen Geburt und endete mit dem eigenen Tod. Das Weiteste, was so ein einfacher Mensch sich vorstellen konnte, wenn er in die Zukunft blickte, waren seine Kinder, und wenn er in die Vergangenheit sah, seine Eltern.

Zuweilen fragte sich Pirvan, ob diese Weltsicht des »kleinen Mannes« etwas war, das Sir Marod bei ihm hatte finden wollen. Zweifellos hatte Sir Marod befürchtet, es würde beleidigend wirken, wenn er solche Gedanken äußerte. Aber Pirvan hielt die Vorstellung nicht für beleidigend, eher im Gegenteil.

Er nahm sich vor, die Sache irgendwann mit Sir Marod zu bereden, am besten bei einem guten Branntwein. Sir Marod pflegte alle Geheimnisse zu bewahren, die er bewahren mußte, und noch zehn weitere dazu, wenn man ihn ließ. Pirvan hatte sich vor ein paar Jahren geschworen, an diesem Übermaß von Sir Marods Geheimnissen zu nagen wie eine Maus am Käse.

Die Reise war in jeder Hinsicht angenehm bis auf ihre Dauer, angesichts derer Pirvan sehnsüchtig an einen Flug auf dem Rücken eines Drachen dachte, auch wenn er seinerzeit an dem übermütigen jungen Bronzedrachen Hipparan so waghalsig angebunden gewesen war. Es gab nur einen unerfreulichen Zwischenfall, und der geschah in der fünften Nacht der Reise, als sich Wolken zusammenzogen, die von Regen kündeten und Pirvans Truppe schon früh in einem Wirtshaus anhalten ließen, das den Namen »Zum Oger in Ketten« trug.

Pirvans Ohren fanden wenig Gefallen an dem Namen. Wenn der Wirt einen so zweifelhaften Geschmack hatte, fand Pirvan es nur gerecht, ihm ein wenig auf den Zahn zu fühlen. Der Ritter hatte seine alten Künste aus dem Nachtwerk nicht vergessen, zu denen es gehörte, verborgene Wege in ein Haus hinein zu suchen und sich in seinem Inneren zurechtzufinden, leise und unsichtbar zu bleiben und Schlösser zu knacken.

Darum legte Pirvan nun die einfache, geflickte Kleidung an, die zu einem gewöhnlichen Dienstboten paßte und die aussah, als hätte man sie tagelang hinter einem Wagen hergeschleift. Dann machte sich Haimya noch ein wenig an den Haaren ihres Mannes zu schaffen, und niemand, der ihn nicht öfter gesehen hatte als der Wirt und dessen Dienstboten, wäre in der Lage gewesen, ihn wiederzuerkennen.

Er schlich jetzt schon fast eine Stunde im Wirtshaus herum und vermutete allmählich, daß sein Verdacht falsch gewesen sein könnte. Deshalb nahm er sich vor, seine Suche fortzusetzen, bis der Regen nachließ, und dann zu Bett zu gehen. Sie würden am nächsten Tag früh aufbrechen müssen, damit sie auf den matschigen Straßen eine ganze Tagesreise zurücklegen konnten.

Pirvan war jetzt auf dem Dachboden. Hier war es muffig und staubig, und es wimmelte von nutzlosen Dingen. Offenbar wurde der Dachboden während der Regierungszeit eines jeden Königspriesters höchstens einmal aufgesucht. Plötzlich hörte Pirvan ein Niesen, und als er die Laterne hob und seinen Dolch zückte, erhaschte er eine Bewegung.

Eine kleine Gestalt kauerte im Schatten. Zunächst dachte Pirvan an einen Kellnerlehrling oder Stallburschen, der nach einem anstrengenden Tagewerk Nacht für Nacht zwischen dem Staub und Abfall auf dem Dachboden ausharren mußte. Das war schlimm, aber weder Pirvans Pflichten noch das Gesetz gestatteten ihm, sich einzumischen. Die gegenseitige Anerkennung der jeweiligen Gesetze des anderen war in der Schwertscheidenrolle festgehalten, die Solamnia und Istar verband, und die Gesetze von Istar hatten nichts dagegen einzuwenden, daß man Lehrlinge auf harten, schmutzigen Dachböden schlafen ließ.

Dann sah Pirvan genauer hin. Die kleine Gestalt war kein Junge, sondern ein Kender – das Geschlecht war nicht zu erkennen. Ein Auge des Kenders war von einem purpurroten Bluterguß verunstaltet und halb zugeschwollen, und seine Füße waren an einen Baumstamm gekettet, der so viel wiegen mußte wie Grimsor Einauge.

Pirvan lief so lautlos zu dem Kender hin, daß er über diesem stand, bevor der Kender ihn bemerkte. Dann schnappte der Kender erschrocken nach Luft, erbleichte und bedeckte sein Gesicht mit den Händen.

Pirvans erste Reaktion war sinnlos: Am liebsten hätte er denjenigen auf der Stelle erschlagen, der den Kender derart mißhandelt hatte. Kender hatten nicht gerade wenige ärgerli-

102

che oder gar schlechte Angewohnheiten, aber einen von ihnen so zuzurichten setzte eine Brutalität voraus, die durch kein Verbrechen gerechtfertigt werden konnte.

Jedenfalls durch kein Verbrechen, das die Kender nicht selbst untereinander sofort bestraft hätten. Es gab keinen Ort in Istar, wo man nicht innerhalb einer Tagesreise genug Kender finden konnte, um ihnen einen der Ihren zur Verurteilung zu übergeben. Warum hatte die Person, die für diese Grausamkeit verantwortlich war, daran nicht gedacht?

Pirvan wollte herausfinden, wer diese Person war, und wollte ihrem Gedächtnis auf die Sprünge helfen.

»Ich bin Sir Pirvan von Tiradot, Ritter der Krone«, sagte er. »Ich glaube, daß ich hier Zeuge einer Ungerechtigkeit werde. Könntest du mir wohl deine Geschichte erzählen?«

Das dauerte eine Weile länger, als Pirvan erwartet hatte, aber nicht, weil der Kender vom Thema abgekommen wäre, die gesamte Vorgeschichte erzählt oder die ganze Erzählung unnötig aufgebläht hätte. Es lag daran, daß der Kender zuallerlerst in Tränen ausbrach. Das brachte zwar Pirvan zu dem Entschluß, den Mann, der den Kender so quälte, langsam zu töten, ansonsten aber brachte es nicht viel.

Schließlich begann der Gepeinigte zu reden. »In der Nacht, als ich hier schlief, lagen so viele Dinge auf den hohen Regalen hier herum, daß es kein Wunder ist, daß ein paar davon in meine Taschen gefallen sind. Ich hätte nie gedacht, daß jemand so eine Brosche ins Regal legen würde, selbst wenn sie einfach nur hübsch wäre. Als ich hörte, daß sie zudem noch wertvoll war, wollte ich sie auch gleich zurücklegen. Ich war gerade dabei, als sie mich erwischt haben.«

Pirvan vermochte zwischen den Zeilen zu lesen, und so kannte er nun die Geschichte des Kenders, der in einem Wirtshaus mit seinem menschlichen Besitzer übernachtet hatte, wo seine Rasse grundsätzlich nicht allzu willkommen war und einige andere Gäste Nichtmenschen offenen Haß entgegenbrachten. Wenn dazu seine »Erwerbungen« noch ein bißchen ausgeufert waren, selbst nach Kendermaßstäben (was bedeutete, daß der Kender das Gasthaus wohl bis auf die nackten Wände geplündert hätte, wenn er so viel hätte tragen können), war es nicht verwunderlich, daß er sich den Zorn einer ganzen Reihe Menschen schneller zugezogen hatte, als selbst ein Kender rennen kann.

»Ich vermute, du weißt, daß du das Recht hast, den obersten Kender der Gegend zu Hilfe zu rufen oder die Kender wenigstens über deine Lage zu informieren.«

Der Kender sah weg. »Sie wissen es. Ich habe sie davon in Kenntnis gesetzt.«

»Und sie haben dich dennoch deinem Schicksal überlassen?«

»Unser Volk ist nicht mehr so zahlreich wie früher – seit dem Brand am Berg Brongon.«

Pirvan erinnerte sich vage daran. Der Brand hatte eine ganze Kendergemeinde ausgelöscht. Es waren nicht viele umgekommen, aber die Überlebenden waren heimatlos geworden und zur Flucht gezwungen gewesen. Die meisten waren bis ganz nach Kenderheim zurückgekehrt.

»Das ist doch ein Waldbrand gewesen, nicht wahr?« sagte Pirvan.

Die großen Augen des Kenders waren plötzlich hart wie Granit, und seine Stimme klang eisig. »Das jedenfalls wollten sie die Menschen glauben machen.«

»Sie?«

»Die Brandstifter.«

Pirvan hatte einen ganzen Katalog mit Fragen, die er hätte stellen wollen. Aber keine davon hätte dem Kender in irgendeiner Weise geholfen, jedenfalls nicht an diesem Abend.

»Sind überhaupt keine Kender mehr übrig?«

»Nur wenige, die sich noch wehren wollen. Die Mehrzahl

meint, wenn die Menschen so weitermachen, gibt es immer noch den nächsten Berg, hinter dem man sicher ist.«

Pirvan fiel die ungewöhnlich offene und direkte Sprechweise des Kenders auf. Aber schließlich hatte ein längst verblichener Ritter einst gesagt: »Man bekommt einen wunderbar klaren Kopf, wenn man weiß, daß man morgen enthauptet wird«, und zweifellos konnten Hunger, Erschöpfung und Schläge einen Kender ebensoweit bringen.

»Ähm, da wäre noch etwas«, sagte der Kender. Kender konnten nicht richtig rot werden – zum Glück, sagten manche, sonst würden sie aus dem Erröten nicht mehr herauskommen –, aber plötzlich konnte der Kender Pirvan nicht mehr in die Augen sehen.

»Was denn noch?«

»Also, die wirklich Einflußreichen unter den Kendern sind die Lautschwätzer – ihr Menschen nennt so etwas wohl Clan. Ich habe Shemra Lautschwätzer den Hof gemacht. So ein hübsches Mädchen hast du noch nie gesehen. Stundenlang konnte sie auf meinem Schoß sitzen und ...«

Pirvan räusperte sich. Die intimen Einzelheiten der Werbung des Kenders waren nicht so wichtig wie der Umstand, daß sie offenbar schlecht gelaufen war. »Was auch geschah, es hat also die Lautschwätzer gegen dich eingenommen. Sie wollten dir weder helfen noch auf deine Anrufung reagieren noch die Nachricht nach Kenderheim oder sonstwohin weiterleiten, wo man dir hätte helfen können, ohne auf die Meinung von Menschen Rücksicht zu nehmen.«

Der Kender schien schon halb im Schlaf zu liegen, als ob er nicht nur von der Arbeit, sondern auch vom Erzählen seiner Geschichte erschöpft sei. Immerhin konnte er noch nicken.

»Gut – und wie heißt du?«

Der Kender schüttelte den Kopf. Pirvan hätte am liebsten den Kender geschüttelt.

»Vielleicht würde nicht jeder es ablehnen, dir zu helfen, selbst wenn du dich dadurch entehrt fühlst. Diejenigen, die dir helfen wollen, müssen allerdings erfahren, *wem* sie helfen.«

»Gesussum Fallenspringer – und, nein, ich bin niemandes Onkel. Es ist ein richtiger Kendername, und ich kenne schon alle Witze, die du kennst, und die anderen auch.«

Pirvan holte tief Luft und hätte fast einen Hustenanfall bekommen, soviel Staub atmete er ein. »Was du brauchst, ist etwas Anständiges zu essen«, sagte er, als er wieder sprechen konnte. »Ich glaube, es wird Zeit, daß wir der Gastfreundschaft des Wirts etwas auf die Sprünge helfen.«

Wenn er dadurch niemand anders in Gefahr gebracht hätte, hätte Pirvan nur zu gern seine alten Fähigkeiten genutzt, um das Wirtshaus bis auf die Grundmauern abzubrennen. Das Nächstbeste war ein heimlicher Besuch in der Küche, von dem er mit einem prallgefüllten Sack zurückkehrte.

»Hier sind eine Fleischpastete und ein paar Äpfel für gleich, und hartes Brot und Käse für später. Such dir lieber ein besseres Versteck für das Brot und den Käse …«

Der Kender riß Pirvan bereits die Pastete aus der Hand und fiel darüber her wie ein Wolf über ein Lamm. Eine ganze Weile war das Mahlen seiner Kiefer das einzige Geräusch auf dem Dachboden. Gesussum ließ auch die Äpfel in Windeseile in seinem Magen verschwinden.

Der Kender schien den Tränen nahe zu sein, als er fertig war, und Pirvan hoffte, dies lag nicht daran, daß ihm schlecht wurde, weil er zu schnell zuviel gegessen hatte. Statt dessen wischte sich der Kender die Krumen von seinen zerlumpten Kleidern und brachte ein unsicheres Grinsen zustande. »Weißt du, wie lange es her ist, seit ich einen vollen Bauch hatte, und zwar nicht nur im Traum?«

»Nein, aber ich weiß, wie es ist, so hungrig zu sein. Ehrliche Diebe müssen immer mal wieder eine Mahlzeit auslassen.«

»Du warst früher ein Dieb? Ich dachte, du hättest gesagt, du bist ein Ritter von ...«

»Ich war erst das eine, und jetzt bin ich das andere, und wie ich mich verändert habe, ist jetzt eine zu lange Geschichte. Ich verschwinde von hier, bevor sich jemand wundert, wo ich so lange bleibe, und Fragen stellt, die beim Wirt Verdacht erregen könnten. Wir sehen uns vielleicht nie wieder, aber ich schwöre bei Paladin und Kiri-Jolit, daß ich dafür sorgen werde, daß die Gerechtigkeit ihren Lauf nimmt.«

Das Grinsen des Kenders wurde breiter. »Solange sie dabei nicht ins Stolpern kommt ... Das kann nämlich vorkommen, weißt du.«

Darauf fiel Pirvan nichts mehr ein, und deshalb verschwand er ohne ein Wort.

Der Regen hielt die ganze Nacht und einen Großteil des nächsten Tages an. Am Tag darauf riß der Himmel schließlich auf, als Pirvan und seine Leute den letzten Berg von Istar bestiegen hatten.

Die weißen Türme der mächtigen Stadt reckten sich über die Mauern empor, die selbst wie eine Soldatenkolonne aufragten, welche über die Ebene zieht. Die Luft roch frisch und sauber, nur ein wenig feucht, als würde frischgewaschene Wäsche im Hof hängen.

In den Büschen entlang der Straße – Tarbeere, Verfrucht, wilde Erdbeeren und ein Dutzend andere Sorten – zwitscherten Vögel. Es war selbst für grüne Früchte noch zu früh, aber die Blüten erfüllten das Auge mit ihren Farben und die Nase mit süßen Düften. Auf den Feldern hüpften Vögel herum und suchten in der nassen Erde nach Würmern und Bodeninsekten, die vom Regen herausgeschwemmt worden waren.

Haimya ritt auf gleicher Höhe mit ihrem Mann. »Ich hoffe, der Turm weiß von unserem Kommen. Mir dreht sich der Magen um beim Gedanken, länger als nötig an diesem Ort bleiben zu müssen.«

»Wenn alle Stricke reißen, können wir immer noch ein wenig von dem in Anspruch nehmen, was das Haus Encuintras uns schon lange schuldet. So jedenfalls stand es in ihrem letzten Brief.«

Mit dem Hause Encuintras hatte Pirvans Weg zu den Rittern von Solamnia begonnen. Er hatte dort eingebrochen, um Juwelen aus der Mitgift von Lady Eskaia zu stehlen. Verschiedene Umstände hatten es dann mit sich gebracht, daß er sich verpflichtet gesehen hatte, die Juwelen schnellstens zurückzubringen. Bei diesem Unterfangen war er von Haimya festgenommen und in ein Abenteuer hineingezogen worden, das ursprünglich kein höheres Ziel gehabt hatte, als Haimyas damaligen Verlobten gegen Lösegeld aus der Gewalt der Piraten am Kratergolf zu befreien.

»Sie werden ihre Schuld nur so lange abzahlen, wie der alte Herr noch lebt.«

»Ich habe nichts davon gehört, daß seine Gesundheit schwindet«, sagte Pirvan. »Am Ende überlebt er noch uns alle.«

»Wenn du deine Zunge weiterhin so schlecht im Zaum hältst«, warf Grimsor ein, »könnte diese Prophezeiung sich durchaus bewahrheiten.«

Pirvan hörte etwas Rauhes, Melancholisches in der Stimme des stämmigen Seemanns, etwas, das noch nicht oft darin gelegen hatte. »Wir werden gewiß nicht über Angelegenheiten der Ritter reden. Was sonst könnte uns schaden?«

»Ich bin Seemann, nicht Wahrsager«, erwiderte Grimsor. »Aber wenn den Geschichten von dir und diesem Kender Flügel gewachsen sind und Istar vor uns erreicht haben ...«

Pirvan zügelte sein Pferd und warf Grimsor einen wütenden Blick zu. »Und wer kann jetzt seine Zunge nicht im Zaum halten?«

»Wir sind ganz allein auf der Straße, niemand kann uns hören«, sagte Haimya und legte ihrem Mann eine Hand auf den Arm. »Hören wir Grimsor erst einmal an.«

»Das ist eine kurze Geschichte. Ich habe ein Schankmädchen getroffen, in einer Sache, die nur uns beide betraf, eine Weile vor Sonnenaufgang. Sie erzählte, daß jemand sich auf den Dachboden geschlichen hätte, wo sie den Kender gefangen halten. Sie hoffte, der Mann würde bald wieder weg sein, ehe der Wirt eine Möglichkeit fände, ihm Ärger zu machen.«

Pirvan hatte keine Zweifel, welcher Art die »Sache« war, die sich zwischen Grimsor und dem Mädchen abgespielt hatte. Was ihn irritierte, war die Wachsamkeit des Wirts.

»Oh, die ist weniger verdächtig, als du vielleicht glaubst«, erwiderte Grimsor. »Jeder Wirt mit einem Haus dieser Größe und häufigen Stammgästen hat genug Spione, um sogar in den innersten Kreis um den Königspriester vorzudringen, wenn er das will. Er hat vielleicht nicht den Wunsch, die Geheimnisse seiner Gäste preiszugeben, aber er wagt auch nicht, ihnen zu viele zu lassen.«

Pirvan nickte. Er hätte gern gewußt, ob der Wirt tatsächlich mit den Geheimnissen seiner Gäste hausieren ging. Die Drohung, dies zu enthüllen, würde ihnen vielleicht gestatten, die Sache mit dem gefangenen Kender beizulegen, ohne daß es zu einem öffentlichen Skandal kam – immer unter der Annahme natürlich, daß Grimsor unrecht hatte und daß die Gerüchte nicht bereits dabei waren, einen Skandal zu produzieren!

Sie ritten weiter, während sich im Süden weitere Regenwolken zusammenbrauten. Pirvan war das gleichgültig; der düstere Himmel paßte gut zu seiner Laune.

Sie näherten sich der Stadt auf dem Weg, der seit Jahrhunderten als die Große Weiße Straße bekannt war. Die Legende besagte, daß die Straße ursprünglich mit Kreide und zerstoßenen Muschelschalen gepflastert gewesen sei, so daß sie in der Sonne weiß geglänzt habe. Inzwischen hatte sie Steinpflaster wie jede andere Straße, und nach Jahrhunderten, in denen sie der Einwirkung von Wetter, Erdbeben, Hufen und Tiermist ausgesetzt gewesen war, hatte sie auch dieselbe Farbe wie jede andere Hauptstraße.

Pirvan kam es so vor, als hätten sich die Villen und selbst die Paläste der Reichen jedesmal, wenn er nach Istar kam, weiter jenseits der alten Stadtmauern ausgebreitet. In den letzten paar Jahren hatte er ganze Dörfer in den Freiflächen zwischen den imposanteren Häusern emporwachsen sehen – für diejenigen, die den Reichen dienten.

Insgesamt stellte sich die Frage, wie Istar sich gegen einen Gegner verteidigen sollte, der über Land nahte. Pirvan hielt das nicht für unmöglich. Man mußte nur einen äußeren Villen-Ring befestigen und einen inneren Villen-Ring abreißen, damit fünfhundert Schritt offenes Gelände hinter den Mauern frei blieben. Er beneidete jedoch niemanden um die Aufgabe, dies vorzuschlagen und sich das Geschrei derjenigen anzuhören, deren Symbole ihres Reichtums entweder zu Festungen oder zu Schutt werden sollten.

Vielleicht hatte Istar nicht die erklärte Absicht, vor den Augen der Götter seinen Reichtum und seine Macht zur Schau zu stellen. Aber selbst Kaufleute – ganz zu schweigen von Priestern – würden bedenken müssen, daß die Götter alles sahen, also auch diese Anhäufung von Luxus, Reichtum und Stolz, ob die Menschen dies nun wünschten oder nicht.

Die Große Weiße Straße teilte sich an der letzten Villa. Von dort aus ging es auf der einen Seite zum Wassertor, auf der anderen zum Minotaurentor. Der Name des ersten Tores stammte von einem Fluß, den man vor langer Zeit umgeleitet hatte, der des zweiten von einem Sturmangriff eines Haufens

Minotauren, die dort gegen ausgewählte Krieger von Istar – einschließlich einiger Ritter von Solamnia – bis zu einem ehrenvollen Waffenstillstand gekämpft hatten.

Als Pirvan und seine Freunde auf das Minotaurentor zuritten, sahen sie, daß man es umbenannt hatte. Es hieß nun Kriegertor, und an der Krone des Bogens ragte ein Minotaurenschädel aus feinstem Ergoder Marmor aus dem Mauerwerk heraus. Jedenfalls hoffte Pirvan, daß der Schädel nur aus Marmor war – er wollte sich lieber nicht ausmalen, was lebende Minotauren dazu sagen würden, wenn der Schädel eines ihrer Toten an einem solch öffentlichen Ort ausgestellt würde. Und noch weniger wollte er daran denken, was sie dann tun würden. Bei ihrem nächsten Sturmangriff würde es nicht um Ehre gehen, sondern um Blut. Wahrscheinlich würde es ihnen sogar egal sein, um wessen Blut.

Das Tor war so gut bewacht wie immer, obwohl die Wachen drei verschiedenen Herren zu dienen schienen. Angehörige der Stadtwache waren darunter, Soldaten aus der Armee und dazu die Wachen des Königspriesters, immer noch mit den weißen Tuniken bekleidet, gegen welche die Zauberer der Weißen Roben und sogar einige der Schwarzen und Roten so heftig Protest erhoben hatten.

Immerhin waren die Tuniken jetzt gekürzt, so daß man einen Tempelwächter nicht mehr so leicht mit einer Weißen Robe verwechseln konnte, auch wenn man die Kurzschwerter an den Gürteln und die Wurfspeere nicht sah, die sie sich über den Rücken geschwungen hatten. Der Oberherr der Priester mochte sich Königspriester nennen, und das mit jedem Jahr lauter, aber der Beiname »König« brachte noch keine Macht mit sich – und Pirvan betete zu jedem Gott, der außer denen des Guten noch zuhören mochte, daß es niemals dazu kommen würde.

Zwei Männer der Stadtwache, den Stickereien auf ihren Tuniken und Mänteln zufolge Hauptmänner, kamen auf Pirvan zu. Sie wurden von einem Dritten begleitet, den sein vergoldeter Schwertgriff als höherrangig aufwies. Sie näherten sich Pirvan mit gebührender Ehrerbietung und sagten: »Sir Pirvan von Tiradot?«

»Ebender, und seine Begleitung. Was verschafft mir die Ehre dieser Begrüßung?« Pirvan warf einen vielsagenden Blick auf die Schlange Reisender, die sich hinter ihm anzusammeln begann.

»Die Angelegenheiten, von denen in diesem Brief die Rede ist.« Der jüngere Hauptmann händigte Pirvan ein gefaltetes, versiegeltes Schreiben aus bestem Pergament aus. Der Ritter warf einen Blick auf das Siegel. Es war rot und trug einen Stempel mit dem offenen Buch von Gilean, dem obersten Gott der Neutralität.

»Der Euch dies schickt, hat sich bereits um alles gekümmert, was Euren Einlaß in die Stadt angeht«, fuhr der Hauptmann fort. »Man sagte mir, Ihr würdet ihn im Wirtshaus ›Vier Höfe‹ antreffen.«

Pirvan zog die Augenbrauen hoch. Er ahnte bereits, wen sie treffen sollten, aber warum ausgerechnet in einem der größten Gasthöfe von ganz Istar – der sowohl vom Turm der Erzmagier als auch vom Hafen so weit entfernt lag?

Die anderen Reisenden von ihren rechtschaffenen Geschäften abzuhalten würde jedoch keine Rätsel lösen. Pirvan nahm das Pergament und steckte es in seine Tunika. Dann salutierte er förmlich vor den beiden Hauptmännern. »Eure Ehre, Eure Dienste und Eure Höflichkeit sind bei den Rittern von Solamnia gern gesehen.« *Jedenfalls bis wir herausfinden, was hier vorgeht*, fügte er in Gedanken hinzu.

Wie Pirvan vermutet hatte, war es Tarothin, der sie im sonnigen Vorraum einer Zimmerflucht im obersten Geschoß der »Vier Höfe« erwartete.

112

Inzwischen bestand das Gasthaus sogar aus fünf Höfen, denn die Besitzer hatten die ganze Nachbarstraße gekauft, sie abgesperrt und in den Häusern Zimmer eingerichtet, die sie an Langzeitgäste vermieteten. Wo die Menschen aus den Häusern hingezogen waren, wußte Pirvan nicht, aber dies war kein billiges Stadtviertel, also würden sie wohl kaum auf den Straßen betteln gehen.

»Seid willkommen, auch wenn ihr euch vielleicht nicht so fühlt«, sagte der Zauberer. Sein Bart wies mehr graue Strähnen auf als bei ihrer letzten Begegnung, aber sein Schritt war immer noch federnd, und sein Stab sah aus, als wäre er wie eh und je bereit, als Waffe gegen Feinde eingesetzt zu werden, die zu armselig für einen Spruch waren.

Es wäre nicht nötig gewesen, daß Tarothin auf sein Ohr und dann auf die Mauern zeigte. Die Besucher hätten auch so geschwiegen, während sie ihm in das innerste der vier Gemächer folgten. Es war auch das kleinste, und Pirvan bemerkte, daß die Wände etwas glitzerten und das Essen – kalter Braten und eingelegtes Gemüse – von Ratten angenagt zu sein schien. Zauberergroße Ratten, vermutete Pirvan.

Die Frage in Pirvans Augen ließ Tarothin mit den Schultern zucken. »Ich habe dieses Zimmer gegen alle Lauscher abgeriegelt, ob magisch oder anderweitig. Der Zauber müßte solange anhalten, wie du hierbleiben mußt, falls Jemar nicht mehr Überredungskünste braucht, als ich vermute, um euch an Bord seiner Schiffe zu nehmen ...«

Den Reisenden klappte der Kiefer herunter. Hastig gab Pirvan seinen Kriegern und den Dienern Zeichen, daß sie eines der äußeren Zimmer herrichten sollten. Als sich die Tür hinter ihnen geschlossen hatte und Grimsor davorstand, fixierte Pirvan den Zauberer mit einem Blick, der gerade mal so freundlich war wie eine gesenkte Lanze. »Wir bleiben hier? Nicht im Gästehaus des Turms?«

»Nein. Ich meine, ja … ihr bleibt hier, bis Jemar …«

»Tarothin. Dieses zweifellos ausgezeichnete Gasthaus liegt weitab vom Hafen. Es liegt weitab vom Turm. Es liegt in der Nähe verschiedener Tempel, einschließlich des einen, der die Kasernen für die halbe Wache des Königspriesters beherbergt. Wir sind in Angelegenheiten hier, die der Königspriester und seine Untertanen als gefährlich für sich einstufen könnten. Findest du dieses Vorgehen logisch?«

Tarothin seufzte. »Ja, und das habe ich auch schon dem Herbergsvater im Turm erklärt. Er sagte, ihr wärt in keiner großen Gefahr. Die Gefahr, die Priester zu beleidigen, indem wir euch abschirmen, wäre hingegen größer. Er hat jedoch Silber geschickt, um für alle eure Wünsche hier zu bezahlen, fünfhundert silberne Türme – und dafür könnte man die meisten Gasthäuser hier bereits *kaufen* …«

»Was ich wissen will«, warf Grimsor Einauge ein, »warum bist du nicht zu mir gekommen und hast mich gewarnt? Dann hätte ich Pirvan gleich etwas sagen können.«

Tarothins Gesicht nahm einen Die-Götter-mögen-mir-Geduld-schenken-Ausdruck an. »Weil ich das, was ich euch gerade erzählt habe, erst nach deiner Abreise erfahren habe. Außerdem hat mir auch niemand dein Ziel verraten, sonst hätte ich dir einen Boten nachschicken können.«

»Einen Boten, der womöglich eine Kopie deines Briefes an den Königspriester weitergeleitet hätte«, schnaubte Grimsor. »Aus eben diesem Grund wollte ich nicht, daß jemand erfährt, wohin ich gegangen bin.«

Der Zauberer seufzte. »Und *ich* wollte nicht in ganz Istar bekanntmachen, daß Tarothin von den Roten Roben nach Grimsor Einauge sucht, Maat auf einem Schiff von Jemar dem Schönen. Auch das hätte Leuten zu Ohren kommen können, die solche Nachrichten lieber nicht erfahren sollten.«

»Die Priester sollten doch lieber ein offenes Ohr für die

Stimme der Götter behalten«, sagte Haimya. Ihr Tonfall war so rauh, daß er Löcher in den Boden hätte sägen können. »Was uns jedoch alles nicht gerade zu Jemar dem Schönen führt.«

»Das braucht es auch nicht«, entgegnete Tarothin, »denn der weiß bereits von eurem Kommen. Er und sonst keiner von seinen Männern. Er hat versprochen, euch heute abend noch zu besuchen, wenn ihr dies wünscht.«

»Du kannst ihm ausrichten, daß dies wirklich unseren Wünschen entspricht«, sagte Pirvan. Dann trat er vor und umarmte Tarothin. »Verzeih, alter Freund, aber es sah zunächst so aus, als hättest du die Sache noch schlimmer gemacht.«

»Wenn du uns je wieder einen solchen Schrecken einjagst, schlage ich dich nieder«, fügte Haimya hinzu.

»Und ich tanze in meinen Kletterschuhen auf dir herum«, ergänzte Pirvan.

»Und ich hänge dann das, was von dir übrig ist, an den obersten Mast der *Seeleopard*, bis die Stürme dein Fleisch von den Knochen und die Seele von beidem losgerissen haben«, schloß Grimsor. »Aber jetzt kehre ich erst mal auf die *Seeleopard* zurück und schicke euch ein paar zuverlässige Männer hierher. Vielleicht kann ich sogar mit Jemar persönlich sprechen.«

»Ist Eskaia bei ihm?« warf Haimya ein. »Ihr habt sie noch nicht erwähnt, aber ich hätte große Lust, sie wiederzusehen.« Haimya war Eskaias Leibwache und Vertraute gewesen, als ihre Herrin noch als Erbin im Hause Encuintras gelebt hatte, und obwohl sie nun weit voneinander entfernt lebten, fanden sie beide, daß sie nach zehn Jahren Ehe und Mutterschaft mehr gemeinsam hatten als früher.

»Nein, und die Lust ist der Grund dafür«, antwortete Grimsor. »Oder eher die Frucht der Lust.«

Haimya lachte. »Ist das ihr viertes oder ihr fünftes?«

»Erst ihr viertes«, erwiderte Grimsor. »Schließlich haben sie manchmal auch noch anderes zu tun.«

Haimya schob ihren Arm unter den ihres Gatten und legte kurz ihr Kinn auf seine Schulter. »Wem sagst du das?«

»Nun«, sagte Pirvan. »Wenn dieser Wein hier ungefährlich und gut ist ...«

Tarothin schnaubte beleidigt.

»... dann laßt uns auf Jemar und Eskaia anstoßen. Möge ihre Nachkommenschaft zahlreich und stark sein und den Stürmen des Lebens trotzen.«

Sie tranken, aber Pirvan und Haimya sahen einander an, als sie ihren Becher an die Lippen führten. Sie hatten denselben ernüchternden Gedanken:

Jemar und Eskaia leben weitab von Istar, wenn sie an Land gehen, und sie haben Schiffe, die sie aufs Meer hinaustragen können, wenn der Sturm vom Tempel her bläst. Wir und unsere Nachkommen dagegen müssen unsere Pflicht erfüllen, uns dem Sturm stellen und versuchen, ihn von den Unschuldigen abzulenken.

Aber Pirvan sah in Haimyas Augen noch einen zweiten Gedanken, der sich mit seinem eigenen deckte.

Wir würden uns nicht so lieben, wenn einer von uns etwas anderes in Erwägung zöge.

Kapitel 7

Sie trafen Jemar nicht an Bord seines Flaggschiffs *Wind-schwert*, sondern in einer Kammer innerhalb der soliden Mauern eines Lagerhauses am Hafen, das er über einen verschwiegenen Agenten in Istar erworben hatte. Die *Windschwert* lag im Außenhafen, und Jemar hätte ein Treffen, das magischen Schutz gegen unerwünschte Zuhörer erforderte, ohnehin niemals an Bord seines Schiffes abgehalten.

»Nicht, daß ich dir nicht vertraue, Tarothin, mein Freund«, sagte der Häuptling der Seebarbaren. »Dasselbe gilt für alle anderen, die damals mit uns zum Kratergolf gesegelt sind. Aber es sind jede Menge neue Männer an Bord. Sie würden sich unwohl fühlen, wenn sie einem Zauberer vertrauen müßten, und ich würde mich unwohl fühlen, wenn ich darauf vertrauen müßte, daß sie alle den Mund halten. Außerdem halte ich mich auf See inzwischen lieber von Sprüchen fern. Es wandert mehr Magie über das Wasser als früher, und wenn ein Schiff, das mit einem Zauber belegt ist, in einen Sturm gerät, der von einem anderen Zauber herrührt – nun, ich kannte zwei Schiffe, die in solche Stürme gesegelt sind und nie wieder herauskamen.«

»Ich verstehe«, sagte Tarothin und nickte. »Das ist das Problem, das manche Zauberer mit ihrem Stab haben, wenn sie ihn sowohl für die Magie als auch zum Kämpfen benutzen. Ich erinnere mich an eine Schwarze Robe, die einmal versuchte, jemandem mit dem Ende ihres Stabes ein Schwert aus der

Hand zu schlagen, und das Schwert war mit einem Zauber belegt, der durch den Schlag mit dem Stab freigesetzt wurde.«

»Und was geschah dann?« fragte Pirvan und versuchte seine Ungeduld zu beherrschen.

Bei den Seebarbaren gehörte es zum guten Ton, eine Zeitlang über die Familie, die Ernte, erfolgreiche (oder weniger erfolgreiche) Reisen und so weiter zu sprechen. Jemar war ein Freund, den Pirvan nicht wissentlich beleidigen wollte, aber er war auch ein Freund, zu dem sie in großer Not kamen, weil ihnen der heiße Atem der Feinde praktisch schon die Nackenhaare ansengte.

»Wäre der Zauber langsam freigesetzt worden, wäre wahrscheinlich gar nichts passiert«, erzählte Tarothin. »Aber so – nun, man hat von beiden niemals auch nur die Leiche gefunden, und das Loch in der Straße war zwanzig Schritte breit und zehn tief. Selbst ein Vallenholzbaum in hundert Schritt Entfernung ist umgeknickt, aber der könnte auch morsch gewesen sein ...«

»Alles geschieht nach dem Willen der Götter«, sagte Jemar. Ein Diener kam herein und brachte Pökelfisch, sauer eingelegtes Gemüse, harte Kuchenstücke mit heißer Fruchtsoße und Tarbeertee, Wein und Schnaps. Als alle sich bedient hatten, schien Jemar beschlossen zu haben, daß dem guten Ton Genüge getan war.

»Also, mir scheint, Istar veranstaltet all diesen Aufruhr nur wegen dieses mysteriösen Minotaurus. Wenn wir also einen Weg finden, seinem Treiben ein Ende zu setzen, nehmen wir Istar auch jeden Vorwand, die Nordküste mit Krieg zu überziehen. Nicht nur Karthay würde in diesem Fall aufseufzen wie eine Frau nach einem befriedigenden Schäferstündchen. Viele ehrbare Kaufleute, die mit Solamnia und Thorbardin Geschäfte machen, würden sich freuen, wenn ihnen dabei keine Soldatenführer aus Istar über die Schultern sähen. Nun, da

Aurhinius den Oberbefehl hat, sieht es gar nicht so schlimm aus. Er steht in dem Ruf, ein ehrlicher Mann zu sein. Bloß stellt er sich auch gern in die erste Reihe, was zwar ebenfalls für ihn spricht, ihn aber bestimmt mal das Leben kosten wird. Ein Pfeil, ein Kaninchenloch, und schon liegt er in der Familiengruft, und sein Platz fällt an einen dieser Kaufmannssöhne mit klebrigen Händen, die wissen, wie sich der Krieg für jeden auszahlt – außer für die Männer, die dabei ihr Blut vergießen.«

Jemar seufzte und befeuchtete seine Kehle mit einem kräftigen Schluck Branntwein. »Tut mir leid, daß ich so in Fahrt gekommen bin. Jetzt will ich lieber still sein, trinken und zuhören. Lady Haimya, Schönheit vor Alter, falls das Sir Pirvan nicht beleidigt ...«

»So sei es«, sagte Pirvan und nickte seiner Frau zu.

»Ich finde, wir sollten in Karthay anfangen, und zwar so rasch, wie Wind und Gezeiten uns dorthin führen können ...«

Das Treffen von Pirvan und seinen Begleitern mit Jemar dem Schönen war nicht das einzige Treffen in dieser Nacht, welches das Schicksal der Rassen von Krynn verändern sollte.

In der Stadt Biyerones im Norden traf sich Aurhinius mit seinen führenden Offizieren. Draußen auf den Straßen der Stadt war es still – bis auf das Stiefelgepolter auf dem Kopfsteinpflaster, wenn die Soldaten der Wache vorbeipatrouillierten. Aurhinius hoffte, daß die Bürger die Patrouillen mehr als Schutz denn als Bedrohung empfanden, konnte auf ihre Meinung jedoch augenblicklich keine Rücksicht nehmen.

»Wir bleiben hier und lassen die Kavallerie als Schirm von der Südküste bis Krovari stehen«, sagte er. »Damit bleibt die gesamte Kavallerie im Einsatz, aber es gibt nicht sehr viele Wege, auf denen eine große Bande zu Fuß solch einen Schirm passieren kann. Mit kleinen Banden werden die Leute aus den Städten und Dörfern selber fertig.«

»Man könnte ihre Loyalität anzweifeln«, wandte ein Oberhauptmann der Kavallerie ein.

»Das könnte man – hinter verschlossenen Türen«, sagte Aurhinius scharf. »Aber bitte kein Wort davon, wo andere zuhören können. Die Leute hier im Norden sind stur. Wenn wir sie laut als Verräter bezeichnen, könnte sie das noch heftiger gegen uns einnehmen. Außerdem wird jeder, der eine Fehde mit seinem Nachbarn oder Appetit auf dessen Land und Herden hat, die Anklage des Verrats als Ausrede nehmen, um diesen Nachbarn anzugreifen. Istar hat nicht genug Soldaten, um ein Land zu befrieden, das von solchen Fehden zerrissen wird. Und man würde sie auch dann nicht schicken, wenn Istar sie hätte.«

Der Oberhauptmann bat seinen General um Verzeihung und sagte von nun an kein Wort mehr.

Aurhinius stand auf und ging zur Karte. »Wir verteidigen uns mit Stärke und Kriegskunst, bis die Flotte nach Norden kommt, um unsere Flanke von der See her zu sichern. Wenn wir den Schlupfwinkel des Minotaurus von Land und vom Meer aus angreifen, kann er nicht entkommen. Wir werden die Belagerung mit kleinen Truppen aufrechterhalten können, die von See aus versorgt werden, und zwar viel länger, als der Minotaurus durchhalten kann.«

»Und dann?« Das war ein anderer Hauptmann, dem der Ruf vorauseilte, gleichermaßen tapfer wie grausam zu sein.

»Dann könnten wir einen echten Minotaurenschädel für das Kriegertor haben – oder zumindest zwei Gefangene, die uns etwas über den Krieg lehren können. Ich glaube, dieser … Waydol ist auf Geheiß von Minotauren höchsten Ranges an unsere Küsten gekommen. Im Krieg kann es nie schaden zu erfahren, wieviel der Feind über einen weiß.«

Ebenfalls im Norden, aber ein Stück weiter westlich, saßen der Minotaurus und sein menschlicher Erbe auf einem Felsen mit

Blick über das Meer. Nur Lunitari leuchtete am wolkenlosen Himmel und malte einen Pfad über eine See, die kaum bewegter war als ein Mühlenweiher.

Waydol rückte auf seinem Platz hin und her. Mit den Jahren hatten sein Gewicht und seine ledrige Haut einen richtigen Sattel in den Stein gerieben. Dann zog er einen Katar, ein Ölfläschchen und einen Wetzstein aus dem Beutel an seinem Gürtel und begann, den riesigen Dolch zu schärfen.

Als ob er nicht schon scharf genug wäre zum Rasieren, dachte Dahrin. Aber er wußte, daß Waydols Hände etwas zu tun brauchten, wenn seine Gedanken in beunruhigende Richtungen liefen. Dahrin würde bestimmt keinen Stein auf Waydol werfen, weil dieser unruhig war, denn er wußte, wie schlecht er selber schlief, seit er mit Aurhinius' goldenem Helm zurückgekehrt war. Er hatte sogar überlegt, ob er Sirbones um einen Heilspruch für ruhigen Schlaf bitten sollte.

»Wenn Istar mit allem, was sie aufbringen kann, gegen uns ins Feld zieht, könnte es uns schlecht ergehen«, sagte Waydol schließlich.

»Nicht ohne daß sie einen Preis dafür bezahlen, und der wird nicht nur aus schamroten Generalsgesichtern bestehen«, erwiderte Dahrin.

Waydol lachte heiser und schallend. »Ein Horn hätte ich dafür gegeben, Aurhinius' Gesicht zu sehen, nachdem seine zwei Diener auf ihn gefallen waren und ihn in den Dreck gestoßen hatten. Aber keine Freude ohne ihren Preis, und ich glaube, wir müssen unseren bald bezahlen.«

Dahrin schwieg, denn er wußte, daß Waydol eigentlich keine Ratschläge wollte. Er wollte eher seine Gedanken klären, indem er laut redete. Es war nicht das erste Mal, daß Dahrin ihm dafür ein hilfreiches Ohr lieh, denn schon im Alter von acht hatte er gewußt, daß Waydols Los härter war, als das seines Erben je sein konnte. Dahrin konnte am nächsten Tag in der

Schlacht sterben, aber er würde nicht vorher über zwanzig Jahre an einer fremden Küste verbracht haben, ohne jemals einen anderen Angehörigen seiner Rasse zu sehen.

Waydol schwieg ebenfalls eine Weile, so daß nur das Seufzen des Windes und das ferne Murmeln der Wellen die Nachtruhe störten. Schließlich drehte Waydol sich um und sah seinen Erben an. Zum ersten Mal erkannte Dahrin einen blassen, milchigen Schleier in Waydols rechtem Augenwinkel und schwor sich, Sirbones darauf anzusprechen, ob mit oder ohne Erlaubnis des Minotaurus.

»Ich habe dich gelehrt, wie die Minotauren Krieg führen«, sagte Waydol. »Jedenfalls habe ich es versucht. Wie würdest du diese Art der Kriegsführung beschreiben?«

Einen Augenblick glaubte Dahrin, er könnte sich eher Flügel wachsen lassen und davonfliegen, als diese Frage beantworten. Dann fanden seine Lippen Worte, ehe die Scham ihn noch länger zum Schweigen bringen konnte. »Sei stets bereit und bewaffnet. Benutze alle Kraft, die für einen Kampf nötig ist, was nicht dasselbe ist wie deine gesamte verfügbare Kraft. Fang niemals einen ehrlosen Kampf an, und ergib dich niemals einem Gegner, der dies getan hat, oder jemandem, der als Preis für dein Leben deine Ehre fordert.«

Diesmal echote Waydols Lachen über die Klippen rund um die versteckte Bucht. Er legte Dahrin einen Arm um die Schultern, und einen Augenblick lang war Dahrin sicher, sein Rückgrat wäre zwischen Hals und Kreuz steif geworden, und mehrere Rippen wären gebrochen. Es dauerte eine Weile, ehe er wieder richtig Luft bekam. In der Zwischenzeit saß Waydol auf dem Felsen und sah aus, als wollte er gleichzeitig tanzen, Luftsprünge machen, die Arme in die Luft werfen und wie ein Satyr den Mond ansingen.

Als Dahrin schließlich wieder tief durchatmen konnte, gab Waydol einen hörbaren Seufzer von sich. »Gut, Dahrin. Vor vielen Jahren habe ich um die Fähigkeit gebetet, dir die Seele eines Minotaurus und die Seele eines Menschen im selben Körper anzuerziehen. Ich habe vergessen, was ich gelobt habe, wenn diese Bitte erfüllt würde, und ich weiß, ich habe meinen Schwur nicht gehalten. Aber irgendwie haben irgendwelche Götter – deine oder meine oder welche, denen es egal ist, welche Form der Körper hat, den die Seele bewohnt – mir meinen Wunsch erfüllt. Ich glaube nicht, daß es heute nacht auf ganz Krynn jemanden gibt, der zufriedener ist als ich.«

Waydol stand auf und legte Dahrin eine schwere Hand auf die Stirn. Dann fuhr er ihm durch die Haare. »Geh nach unten und schlaf gut, mein Erbe. Ich glaube, es ist das beste, wenn ich heute nacht Wache halte, bevor wir darüber reden, ob Aurhinius ein ehrenvoller Gegner ist oder nicht.«

Dahrin erkannte, daß er Waydol nicht widersprechen konnte, deshalb ging er in seine Hütte und wickelte sich in die Felle, die von den Feuersteinen vorgewärmt waren. Er war auf eine weitere schlaflose Nacht gefaßt, doch diesmal war es, als wäre Waydols Berührung der Schlafspruch von Sirbones gewesen. Dahrin schlief tief und traumlos, bis die Sonne bereits hoch über dem Horizont stand.

In Istar traf sich erneut die Versammlung der Zauberer unter dem Turm des Erzmagiers, ohne viel zustande zu bringen. Tarothin fehlte, was jeder erwartet hatte, und worüber niemand ein Wort verlor.

Auch Rubina fehlte, was niemand erwartet hatte, und worüber nicht wenige sogar etliche Worte verloren.

Ebenfalls in Istar traf sich der Königspriester mit einem gewissen Priester, der Zeboim diente, der Königin der Meere. Jedenfalls hieß es, daß der Mann ein Priester sei, kein abtrünniger Zauberer.

Der Mann sprach weise und gut, aber nicht einmal der Königspriester – ganz zu schweigen von denjenigen, die den Mann in dessen Gemächer und wieder hinaus geleitet hatten – konnte sich ungerührt die Maske des Besuchers ansehen.

Sie war wie der Kopf einer Riesenschildkröte gefertigt, deren Maul mit Reißzähnen mit Widerhaken gespickt war. Sicher, die Königin der Meere nahm die Gestalt einer Riesenschildkröte an, wenn sie durch das Wasser glitt, aber immer wenn sie dies tat, brachte sie Zerstörung und Böses mit sich.

Zudem waren die Lichter, die durch die Augenlöcher der Maske geleuchtet hatten, nicht nur die Augen des Priesters gewesen.

Wolken hatten einen Großteil des Himmels überzogen und Lunitari sowie die meisten Sterne verdeckt, als Pirvan und seine Begleiter Jemars Lager verließen. Tarothin blieb zurück. Er versprach, daß er sich ihnen am Morgen anschließen würde, nachdem er gewisse Freunde aus den Türmen besucht hätte.

Die Straßen im Hafenviertel waren schmal und – wenn überhaupt – nur schlecht beleuchtet. Pirvan orientierte sich an den Lichtern in den Mastkörben der Schiffe, die an den Kais lagen, dann bog er in eine Straße ein, die sich Straße der Fröhlichen Mädchen nannte. So nahe am Hafen glaubte Pirvan zu wissen, wann und warum die Mädchen fröhlich waren.

Er und seine Begleiter befanden sich drei Straßen vom Wasser und nur noch zwei Straßen von den besser beleuchteten Hauptstraßen entfernt, als Pirvan eine Hand hob, um seine Freunde anzuhalten. Dann legte er den Kopf schief und versuchte, menschliche Geräusche im aufkommenden Wind wahrzunehmen.

»Ich glaube, wir werden verfolgt«, flüsterte er. »Laßt euch am Hinterkopf Augen wachsen und seid bereit. Auf mein Kommando rennen wir los. Aber wir dürfen uns auf keinen Fall aufteilen.«

Die Krieger und Haimya nickten. Nach einem Augenblick schlossen auch Grimsor Einauge und seine zwei Seemänner von der *Seeleopard* sich an. Ihr Zögern verursachte Pirvan Unbehagen. Daß Grimsor sie verriet, war doch undenkbar – oder? Jeder hatte seinen Preis, und wenn so viel auf dem Spiel stand wie jetzt, hatte vielleicht jemand sehr viel eingesetzt ...

Die Dunkelheit erwachte plötzlich zum Leben, aber es war die Dunkelheit *vor* ihnen.

Das und die Stille boten den Angreifern den Vorteil der Überraschung, und den verschenkten sie nicht. Ein Krieger starb mit aufgeschlitzter Kehle, und ein zweiter gurgelte bereits, weil ihm Stahl zwischen die Rippen gedrungen war. Aber er starb nicht, bevor seine eigene Klinge nach vorn schnellte, den Mörder unter dem Kinn traf und sich bis in sein Hirn bohrte.

Damit blieben zwei Seeleute übrig, von denen einer eine Börse von Jemar dabeihatte, dazu Grimsor, Pirvan und Haimya. Ihre Angreifer waren ihnen zahlenmäßig mindestens dreifach überlegen. Grimsor korrigierte dieses Mißverhältnis ein wenig, indem er einen Angreifer mit einem Seitenhieb in Bauchhöhe nahezu in zwei Hälften teilte. Dann hielt er einen zweiten Mann auf, indem er ihm gegen das Knie trat, ehe er ihm mit einem Dolch die Wange aufriß.

Pirvan stieß tief zu, doch seine Dolchspitze kratzte unter den zerlumpten Arbeitskleidern seines Gegners an einer Rüstung entlang. Dann rammte er dem Angreifer sein Knie in die Lenden. Dadurch knickte der Mann um, und sein Kopf sank so tief herunter, daß Pirvan ihm seinen Schwertknauf auf den Nacken herabsausen lassen konnte. Als der Mann fiel, sprang Pirvan zurück und drehte sich in der Luft um, so daß er mit dem Rücken gegen eine feste Wand landete.

Der eine Seemann wurde durch das Gewicht der Börse gebremst, aber er hatte eine so große Reichweite und so starke Arme, daß er eine Weile vor seinen Gegnern sicher war, ohne seine Position zu verändern. Dann schob sich ein Angreifer von hinten an ihn heran und hob sein Kurzschwert, um den Seemann zu durchbohren, aber Haimya sah den Mann noch vor Pirvan, und sie war näher dran.

Sie war der Inbegriff von Schönheit und Schrecken zugleich, als sie mit ausgestrecktem Arm einen Schwertstoß ausführte und dem Angreifer die Spitze ihrer Waffe direkt unter dem Haaransatz in den Nacken stieß. Selbst in der Finsternis konnte Pirvan sehen, wie das Leben aus den Augen des Mannes wich – aber er sah auch, wie ein gestürzter Angreifer plötzlich herumrollte und Haimya an den Knöcheln packte.

Sie geriet ins Taumeln, und ein zweiter Mann stürzte sich mit zwei Dolchen auf sie, ehe Pirvan auch nur den Mund zum Warnschrei aufbekam. Doch der Seemann schlug wild auf die ihn umklammernden Hände ein, und als diese losließen, warf Haimya sich auf den Mann, der sie aus dem Gleichgewicht gebracht hatte.

Das Schwert des Seemanns machte dem Kampf ein Ende.

Dann hörte Pirvan auf einmal, wie aus Richtung Hafen schnelle Schritte nahten. Er drehte sich um, denn er wußte, die Wand in seinem Rücken würde ihm nicht ewig Schutz bieten. Er hoffte, Haimya würde sich nah genug an ihn herankämpfen, daß sie wenigstens ein letztes Wort wechseln konnten, wenn sie schon auf keine Berührung hoffen durften ...

Ein Mann, der nur wenig kleiner war als Grimsor Einauge, tauchte mit dem Schwert in der Hand und einer Stahlkappe auf dem Kopf in der Gasse auf. In seinen Seemannsbart waren zwei gelbe Bänder geflochten. Hinter ihm drängte ein Dutzend weiterer Männer nach vorn, alle in Seemanskluft gekleidet und gut bewaffnet.

Grimsor umarmte den Anführer der Neuankömmlinge. »Also, Kurulus, wenn du je einen Platz an Jemars Seite brauchen solltest ...«

Pirvan riß die Augen auf. Kurulus war Topmaat auf der *Goldenen Tasse* gewesen, dem Schiff, das Pirvan und seinen Gefährten auf der Fahrt zum Kratergolf fast bis zum Ziel gebracht hatte. Das Haus Encuintras hatte seinen Einsatz im Kampf und seine Kunst in der Seefahrt mit einem eigenen Kommandoposten belohnt.

»Ich habe mein eigenes Schiff, Grimsor, und du weißt, daß Jemar einen höchstens als Maat anfangen läßt. Jetzt wollen wir mal sehen, ob wir die richtige Horde Ratten erwischt haben.«

»Könnte mir bitte mal jemand erklären ...« fing Haimya an.

Grimsor legte ihr einen Finger auf die Lippen, aber sie biß ihn ihm beinahe ab. »Später«, knurrte er, und Pirvan nickte. Er wußte nicht, was die Seeleute vorhatten, aber es kam selten vor, daß man einem Ritter nicht gestattete, sich gegen Männer zu verteidigen, die es auf sein Leben abgesehen hatten. Ein Rätsel, ja, aber kaum eine Frage der Ehre.

Die Hälfte der Neuankömmlinge stand Wache. Die andere Hälfte half Grimsor und Kurulus, die Leichen umzudrehen und sie zu untersuchen. Pirvan zählte zehn Tote, einschließlich einiger Männer, deren Wunden auf den ersten Blick gar nicht tödlich aussahen.

Ein scharfes Zischen ließ alle herumfahren. Grimsor hielt mit einer Hand eine Leiche hoch. Mit der anderen hatte er dem Mann die Tunika aufgerissen. Darunter sah man eine Rüstung und in der Achselhöhle des Mannes einen dunklen Fleck. »Pirvan, Haimya, das müßt ihr euch ansehen«, sagte Grimsor.

Der Ritter und seine Frau knieten sich neben die Leiche. Im Laternenlicht stellte sich heraus, daß der dunkle Fleck in der Achselhöhle des Toten eine Tätowierung war: eine stilisierte Krone, die sich erheblich vom Emblem der Solamnischen Ritter der Krone unterschied. Sie war von einem Kreis umgeben. Bei genauerem Hinsehen entsprach der Kreis einem der gewebten Stirnbänder, welche die ranghöchsten Priester bei zeremoniellen Anlässen trugen.

Ranghohe Priester und – wie es hieß – der Königspriester.

Pirvan starrte die Tätowierung an und wußte auf einmal, daß eines der häßlichen Gerüchte über den Königspriester von Istar sich gerade als wahr erwiesen hatte.

»Habt ihr nur Straßenräubern eine Falle gestellt, oder gehörte es zu eurem Plan, die Schweigenden Diener zu fangen?« flüsterte Pirvan Grimsor zu.

»Ich schwöre, wir waren nur hinter den Gebrüdern Vlyby und ihren Kumpanen her«, sagte Grimsor. Er schien gleichermaßen zu sich selbst, zu Kurulus und zu Pirvan zu sprechen. »Ich hätte wissen müssen, Pirvan, daß du und Haimya ganz andere Beute im Auge hattet.«

Grimsor würde mit seiner Schuld und Scham später fertigwerden. Vorläufig war es höchst unwahrscheinlich, daß der Königspriester die Ereignisse dieser Nacht mit Wohlwollen aufnehmen würde. Zehn seiner tätowierten Männer, die darauf eingeschworen und trainiert waren, seine Gegner zum Schweigen zu bringen, waren tot, aber nur zwei derjenigen, auf die sie es abgesehen hatten, und zudem die am wenigsten wichtigen. Jetzt war die Existenz der Schweigenden Diener einem Ritter von Solamnia bekannt, und es gab zu viele Zeugen, als daß man sie alle hätte auslöschen können. Der Ritter und seine Begleiter waren vor der tödlichen Gefahr gewarnt.

Wäre Pirvan an des Königspriesters Stelle gewesen, hätten seine Flüche bestimmt Glas zum Splittern und Dachziegel zum Zerspringen gebracht.

»Na schön«, sagte er. »Wir müssen zu Jemar zurückkehren und augenblicklich an Bord eines seiner Schiffe gehen, falls er uns noch verstecken will.«

»Er hat uns sein Wort gegeben«, fauchte Grimsor. »Beleidige ihn nicht durch deine Zweifel.«

»Er hat uns nicht sein Wort gegeben, uns auch dann noch bereitwillig zu helfen, wenn wir dem Königspriester eine Ohrfeige verpaßt haben«, stellte Haimya klar. »Es ist keine Beleidigung, wenn wir ihn selbst entscheiden lassen, welche Schlacht er schlagen will.«

»Nun, ich würde sagen, wir kämpfen die Sache aus«, meinte Kurulus. Er drehte sich zu seinen Männern um. »Wir alle haben dem Hause Encuintras die Treue geschworen, und dort schuldet man diesen Leuten hier noch etwas. Ich schlage vor, wir begleichen die Schuld, indem wir zu ... wo seid ihr abgestiegen?«

»In den ›Vier Höfen‹.«

»Also, Männer. Wenn Sir Pirvan uns etwas gibt, womit wir uns ausweisen können, dazu etwas Silber, um die Wachen zu schmieren, sind wir im Gasthof und mit Sir Pirvans Gepäck und seinen Dienern zurück, noch ehe die Tempelratten drei Schritte machen.«

Pirvan zwang sich zu überlegten Worten. »Äh ... wir dachten, wir lassen einfach alles zurück ...«

»Alles zurücklassen?« schimpfte Grimsor. »Damit ließen wir auch Dinge zurück, die die Speichellecker des Königspriesters bestimmt gerne in die Hände bekommen würden. Ganz zu schweigen davon, daß Jemar uns wahrscheinlich lieber an Bord nimmt, wenn er uns nicht von Grund auf neu ausrüsten muß.«

»Seid ihr sicher, daß man uns im Hause Encuintras genug schuldet, um sich für uns mit dem Königspriester anzulegen?« fragte Haimya.

»Seid unbesorgt, meine Dame«, sagte Kurulus ohne Umschweife. »Wir haben dem Hause Encuintras die Treue gelobt, und das bedeutet mehr, als daß ihre Schulden auch die unseren sind. Es bedeutet ebenfalls, daß jeder, der uns angreift, auch sie angreift, und eher begeben Satyre sich in den Zölibat, als daß ein Turm oder Tempel mit dem Hause Encuintras Streit anfängt.«

Pirvan händigte ihm einen der Zimmerschlüssel und zwei Handvoll Silbertürme aus der Börse des Seemanns aus. Kurulus teilte seine Männer auf. Vier sollten bei Pirvan und seinen Kameraden bleiben, acht zum Gasthof laufen. Dann führte er die acht Leute in einem Tempo die Straße hoch, das selbst Minotauren Ehre gemacht hätte.

»Angenehm, wenn man Freunde hat«, sagte Haimya. Ihre brüchige Stimme verriet, daß sie sich noch immer bemühte, mit den Ereignissen dieser Nacht Schritt zu halten, es aber vorziehen würde, wenn diese sich nicht ganz so überschlagen würden.

»Mehr als angenehm, vor allem wenn man Feinde wie den Königspriester hat«, sagte Pirvan und zog sie an sich. »Ich würde sagen, es kann zwischen Leben und Tod entscheiden.«

Die Wolken hielten ihr Versprechen und brachten noch mehr Regen. Während Pirvan seine Kameraden zum Hafen zurückführte, öffnete der Himmel seine Schleusen, und es gab einen solchen Guß, daß die Wasserrinnen zu Flüssen und die Straßen zu flachen Bächen wurden.

Wenigstens bot auch dies einen gewissen Schutz. Auf dem Höhepunkt des Regenschauers hätte sogar eine Herde Zentauren in Viererreihen durch jede beliebige Straße von Istar marschieren können, ohne bemerkt zu werden. Als der Regen etwas nachließ, saßen Pirvan und seine Begleiter bereits in einem Boot der *Windschwert* und hielten mit aufgezogenem Lateinersegel auf den Außenhafen zu, um den abflauenden Sturmwind zu nutzen.

Sie kamen gut voran, hatten unterwegs jedoch mit der Seekrankheit zu kämpfen. Haimya mußte an einen schattigen Teil der Reling eilen, wo die Finsternis sie verbarg und der Wind alle Geräusche verschluckte. Als sie zurückkam, war sie bleich, trat aber sicherer auf. »Ich hoffe, es dauert nicht so lange wie beim letzten Mal, ehe ich seefest bin«, sagte sie. Dann hielt sie sich so an Pirvans Arm fest, daß der Ritter zusammenzuckte, und als er sah, wohin sie mit der freien Hand zeigte, entfuhr ihm etwas gänzlich Unritterliches.

An der Lücke auf dem Vorkastell stand Tarothin. Er hatte nicht gerade den Arm um seine Begleiterin gelegt, stand aber so dicht neben ihr, daß sie gewiß nicht gegen diese Geste protestiert hätte. Es handelte sich um eine Frau, die fast so groß war wie Haimya. Ihre schwarzen Haare flatterten im Wind und glänzten im Laternenlicht.

Außerdem trug sie eine Schwarze Robe.

»Das könnte natürlich einfach ihre Reisekleidung sein ...« hörte Pirvan sich sagen.

»Scheint, als würde die Bootsfahrt mich seekrank und dich hirnlos machen«, sagte Haimya so scharf, daß ihre Worte selbst Tarothin und seine Begleiterin erreichten. Beide drehten sich um, als Haimya sich ihnen näherte und so aussah, als würde sie die Frau gleich über Bord werfen und den Zauberer hinterherschleudern wollen, falls er protestierte.

Der Ritter folgte seiner Gemahlin im Sturmschritt und stellte sich neben sie, während die beiden Frauen einander anstarrten. Sie erinnerten Pirvan an zwei Wölfe, die überlegten, ob dies wohl die rechte Zeit sei, um ihren Platz im Rudel zu kämpfen.

Das Schweigen wurde plötzlich doppelt gebrochen, durch Tarothins Räuspern und durch sich nähernde Schritte, die von Jemar dem Schönen stammten. Die Schwarze Robe richtete ihren Blick auf Pirvan, und der kam sich auf einmal vor wie ein Satyr angesichts einer Frau, die bereit war, sich mit ihm zu amüsieren.

Nur war »Amüsieren« hier das falsche Wort, falls diese Frau

ernsthafte Absichten hatte, ihn durch Magie an sich zu ziehen. Oder durch andere Mittel, wie seine Vernunft hinzufügte, als er die großen, dunklen Augen und das glänzend schwarze Haar betrachtete, welches das Gesicht der Frau umrahmte.

Ungefähr einmal im Jahr dürfte sie einem Mann begegnen, der zu alt oder zu jung ist, um ihre Reize an ihm auszuprobieren. Ansonsten sieht sie uns alle als Beute, und das ist ihr zur schlechten Angewohnheit geworden.

Pirvan dankte allen Göttern von Krynn mit einem einzigen, umfassenden Gebet, daß Haimya ihn auf dieser Fahrt begleitete. Dann lächelte er.

»Herrin. Ich bin Sir Pirvan von Tiradot, und vielleicht habt Ihr von mir auch als Pirvan ohne Titel gehört.« Dann dachte er: *Eigentlich hätte ich das nicht sagen wollen. Am Ende kommt sie noch auf dumme Gedanken – obwohl sie in dieser Hinsicht sicher keine Nachhilfe braucht.*

Zu Pirvans Überraschung war das Lächeln der Frau so ernst wie das eines weißgewandeten Klerikers. »Ich bin Rubina, Schwarze Robe aus Karthay. Ich habe festgestellt, daß ich derselben Sache diene wie Euer Freund Tarothin. Deshalb habe ich mich mit Erlaubnis von Jemar dem Schönen hier eingeschifft – mit dem Ziel Karthay und darüber hinaus, solange ich Euch von Nutzen sein kann.«

So wie Tarothin dastand und sie ansah, war *ein* Nutzen jedenfalls zu offensichtlich, um darüber ein Wort zu verlieren. Pirvan und Haimya wechselten einen Blick. Dadurch hatte Jemar Zeit, seine Stimme wiederzufinden.

»Ich gehe doch davon aus, Pirvan, daß du mir keine Vorschriften machen willst, wen ich an Bord meines eigenen Schiffes nehmen darf?« Es war mehr eine Feststellung denn eine Frage.

»Sehe ich aus wie ein so großer Dummkopf?« entgegnete Pirvan.

»Nein. Ihr seht aus wie ein kluger Mann und ein Ritter, und das ist nicht immer dasselbe«, sagte Rubina.

Haimya kicherte, was sie selten tat, und es schien Rubina die Fassung zu rauben. Die Frau drehte sich um und legte mit königlicher Anmut einen Arm um Tarothin. »Komm, mein Freund. Ich glaube, der Wind frischt auf, und wir beide lieben weder Erkältungen noch Husten.«

Als sie das Deck verlassen hatten und nur noch die Matrosen sorgfältig ihrer Arbeit nachgingen, begann Haimya laut zu lachen.

»Was findet Ihr so komisch, meine Dame?« fragte Jemar.

»Zuerst war ich eifersüchtig. Dann habe ich erkannt, daß sie Tarothin gewählt hat und sich nicht anderweitig umsieht. Aber sie kann kaum den Mund aufmachen, ohne einem Mann gegenüber etwas Einladendes zu sagen. Sie muß dafür eine Menge Zeit verschwenden, die sie lieber auf andere Dinge verwenden sollte.«

Pirvan sah überallhin, nur nicht zu seiner Frau, und sie belohnte ihn damit, daß sie ihre Finger unter seine Tunika gleiten ließ und ihn unterhalb der Rippen kitzelte. Als er wieder Luft holen konnte, wandte er sich an Jemar.

»Alter Freund, ich vertraue Eurem Urteil, aber ist es klug oder notwendig, diese Schwarze Robe mitzunehmen?«

»Tarothin ist dieser Meinung, und ich weiß von meinen eigenen Informanten in Karthay, daß sie dort in den Türmen sehr einflußreich ist. Haben Eure Ritter Euch nichts von ihr erzählt?«

»Nicht einmal ihren Namen.«

»Die Ritter wären gut beraten, wenn sie in den kommenden Jahren mehr mit den Zauberkundigen und weniger miteinander reden würden«, sagte Jemar.

»Und wir wären gut beraten, wenn wir uns eine warme Kabine suchen und aus dem kalten Wind rauskommen würden«, erwiderte Haimya. Diesmal erwischte Pirvan ihre Hand, bevor sie unter seine Tunika gleiten konnte. Er hob sie an die Lippen und küßte die vom Schwert schwielige Handfläche.

Kapitel 8

Ihre Kabine war klein und karg möbliert. Pirvan wurde klar, daß sie einen Großteil ihres Gepäcks in den Laderaum würden bringen müssen, falls es überhaupt auf das Schiff kam. Vorläufig war es jedoch am wichtigsten, daß er und Haimya Wind und Regen entronnen, zusammen und allein waren.

Sie waren gerade am Eindösen – in einer Koje, die kaum breit genug für einen und für zwei entschieden zu schmal war –, als ein fürchterlicher Lärm an Deck beide hochschrecken ließ. Für Pirvan hörte es sich so an, als wären die Schweigenden Diener ihnen gefolgt und würden nun versuchen, die *Windschwert* zu entern.

Er sprang aus dem Bett, schnappte sich mit der einen Hand seine Kleider und sein Schwert und versuchte mit der anderen, etwas Anständiges zum Anziehen und passende Waffen für Haimya aufzusammeln. Das endete damit, daß er mit beiden Beinen in dasselbe Hosenbein stieg und so hart aufs Gesicht fiel, als er zur Leiter hasten wollte, daß er sich die Lippe aufschlug.

Als er aufstand, sah er zunächst nur, daß Haimya nackte Schultern hatte, mit einem nackten Arm ein Schwert hielt und ein Gesicht machte, als würde sie vor Lachen gleich bersten. Und dann erkannte endlich auch Pirvan Kurulus' Stimme, die fröhlich das Eintreffen des gesamten Gepäcks und einiger neuer Matrosen vermeldete.

Der letzte Punkt machte Pirvan neugierig, aber doch nicht so neugierig, daß er sich nicht erst anständig angezogen hätte, um mitsamt Waffen und kurzen Stiefeln wie ein richtiger Ritter an Deck zu erscheinen. Dort wäre er fast wieder gestolpert, denn mehrere Seeleute zogen an einer Leine. Er konnte gerade noch darüber springen, als eine Truhe, die seine und Haimyas Ersatzrüstung enthielt, in Sicht kam.

Der Lärm des Beladens machte jede Unterhaltung unmöglich. Pirvan trat zur Seite, um aus dem Weg zu sein. Erst da sah er Grimsor Einauges *Seeleopard* in Hafennähe und ebenso nah an Steuerbord ein Schiff, das er nicht kannte, das jedoch auf beiden Masten und auf dem Achterkastell die Flagge der Encuintras gehißt hatte. Das mußte Kurulus' Schiff sein.

Und da kam auch schon Kurulus persönlich. Er grinste wie ein Kender, der gerade mit einer ganzen Ladung frischgebackener Kuchen einschließlich Hochzeitstorte aus einer Bäckerei entwischt ist.

»Alles klar?« fragte Pirvan.

Kurulus lachte laut. »Oh, von dieser Nacht werden wir noch unseren Enkeln erzählen. Wir haben das Gasthaus ohne Probleme erreicht und unterwegs mit dem Inhalt von Jemars Börse ein paar Träger angeheuert. Aber wir brauchten mehr als den Schlüssel, um zu beweisen, daß wir das Recht hatten, in euer Zimmer zu gehen. Außerdem schienen ein paar der Bediensteten darauf aus zu sein, sich davonzuschleichen und jemandem – ich werde keine Namen nennen – von uns zu erzählen. Deshalb mußten wir die Treppen hochrennen, als wäre uns die Sintflut auf den Fersen. Wir liefen in eure Zimmer, nahmen alles mit, was wir tragen konnten ...«

»Ohne besonders darauf zu achten, ob es uns oder dem Gasthaus gehörte?« warf Pirvan ein.

»Matrosen, die es eilig haben, beachten keine Aufschriften, falls sie überhaupt lesen können. Jedenfalls haben wir es geschafft, und mit ein bißchen Hilfe von einem Wagenführer, den wir überzeugen konnten, von seinem Weg abzuweichen ...«

»Habt ihr seinen Karren gestohlen oder ihn nur gezwungen, euch zum Hafen hinunterzufahren?«

»Stell keine Fragen, und du hörst kein Seemannsgarn«, sagte Kurulus mit einem so unschuldigen Augenaufschlag, daß Pirvan in Gelächter ausbrach.

»Und dann?«

»Na, vier von meinen Männern, die euch zu Jemars Boot runtergebracht hatten, haben unseres genommen und die Leute auf meiner eigenen *Donnerlachen* gewarnt. Wir haben unsere Barkasse heruntergelassen, den Anker gelichtet und sind hergetrieben, um uns euch anzuschließen. Ich gehe davon aus, daß drei Seebarbarenschiffe und die Encuintrasflagge ausreichend Schutz bieten vor allem, was der Königspriester uns nachsenden kann. Wenn er die ganze Flotte von Istar zusammenpfeift, sind wir Fischfutter, aber ich wette um allen Wein an Bord, daß er so etwas nicht tun wird. Es gibt viele Leute in Istar, die noch dran glauben, daß Tugend bedeutet, alle Götter zu ehren, nicht nur einen einzelnen Mann, der sich für einen Gott hält.«

Die Trommeln begannen zu schlagen und riefen die Männer zum Segelsetzen. Pirvan trat beiseite, als die Männer auf die Wanten zuliefen, um nach oben zu steigen, und zu den Schoten eilten, die von Deck aus bedient wurden. Kurulus schenkte Pirvan einen Händedruck, der ihm fast die Knochen brach, dann schwang er sich über die Seite und stieg in seine Barkasse.

Lunitari schien wieder, wenn auch hinter einem Wolkenschleier, und Pirvan sah zu, wie die Segel eins nach dem anderen herunterkamen und sich aufblähten. Dann riefen die Trommeln und Pfeifen die Männer an die Spill, um den Anker zu lichten, und Pirvan rannte selbst vorwärts, um an der Kurbel zu helfen, die durch viele Seemannshände über die Jahre glattgerieben worden war.

Das war keine Ritterarbeit, aber in diesem Augenblick hätte

Pirvan auch Schweineställe ausgemistet, wenn es seine Abreise aus Istar beschleunigt hätte.

Sie hatten eine langsame, aber mühelose Reise nach Karthay, mit vielen wechselhaften oder widrigen Winden, aber ohne Stürme. Ab dem zweiten Tag war Haimya seefest, und obwohl sie immer noch blaß aussah, konnte sie mit den Bewegungen des Schiffes mitgehen und einen Arm um das Tauwerk schlingen, als hätte sie ihr halbes Leben auf See verbracht.

Die Blumenfelsen passierten sie in solchem Abstand, daß Pirvan auf den Hauptmast klettern mußte, um einen Blick auf sie zu erhaschen. Dunkel und niedrig ragten sie aus dem sonnenbeschienenen Wasser heraus. An den Blumenfelsen hatten Pirvan, Haimya und Tarothin einst mitgeholfen, die *Goldene Tasse* zu retten, und wären dabei um ein Haar ertrunken und von einer Seenaga verschlungen worden.

Jetzt funkelte und tanzte die See derart, daß man sich nur schwer vorstellen konnte, sie könnte etwas Gefährliches beherbergen. Die Gischt malte Regenbogen in die Luft, als die vier Schiffe die kleinen Wellen durchschnitten, die Segel fielen abwechselnd in sich zusammen und blähten sich mit einem donnernden Knattern wieder auf, und allmählich blieb die Küste der Bucht von Istar hinter den Reisenden zurück.

Nach drei Tagen waren die Berge hinter Karthay in Sicht, ohne daß irgendein Verfolger aufgetaucht wäre. Pirvan wunderte sich sehr darüber, und seine Neugier war gewiß nicht unbegründet. Er hatte in Karthay viel zu tun, ob sie nun auf die Suche nach den Gesetzlosen des Minotaurus gingen oder nicht. Das konnte er schneller erledigen, wenn er nicht ständig durch die Schatten schleichen mußte, um den Herrschern von Karthay oder den Dienern des Schweigens zu entkommen.

Jemar versuchte, ihn zu beruhigen. »Meiner Meinung nach war die Gefahr, verfolgt zu werden, am Kai zu Ende. Die Flotte von Istar wird größtenteils von Kaufmannsfamilien gestellt. Die werden ein Schiff des Hauses Encuintras nicht so schnell verfolgen. Auch über die Schweigenden Diener werden sie nicht allzu glücklich sein. Dem Brauch nach sollen die Tempelwachen innerhalb des Tempelbezirks bleiben. Wenn der Königspriester gedungene Mörder durch die Straßen streifen läßt, könnte das zu seinem Sturz führen oder ihn jedwede Macht kosten außer der Entscheidungsfreiheit darüber, wann er zum Abort geht!«

Pirvan konnte nur hoffen, daß Jemar recht hatte. Der Häuptling der Seebarbaren glaubte vor allem an seine eigene Kraft und Schläue, obwohl er vorgab, Habbakuk, den Herrn der Seefahrer, zu ehren. Er wußte nicht, wie korrumpierend es sein konnte, einem Mann zu sagen, daß er mit seiner Tugend über alle anderen erhaben ist.

Die Ritter von Solamnia forderten immerhin, daß man diese Tugenden auch anwendete – und diese Anwendung war so anstrengend, daß man keine Zeit hatte, sich hinzusetzen und darin zu schwelgen, wie wunderbar man war. Ohne diese Disziplin bei ihren Gefolgsleuten drohten die Königspriester im Namen der Tugend Verderbtheit zu säen.

Am vierten Tag ankerten sie an der Westküste der Bucht. Auf den Karten trug der Ankerplatz den Namen »Istariku«. In einem Dialekt, der so alt war, daß nur noch eine Handvoll Gelehrter und Kleriker mehr als ein paar Worte davon kannten, bedeutete dies »Auge von Istar«.

Was dieses Auge in den Tagen, als der Ankerplatz seinen Namen erhalten hatte, bewachen sollte, wußte niemand mehr. Heute war es eindeutig ein Ort, von dem aus man Karthay und die Zufahrt zur Bucht beobachten konnte, die kaum mehr als eine Tagesreise auf See von dem Ankerplatz entfernt lag.

Auf den Hügeln entlang der Küste gab es auch Ruinen, die

davon Zeugnis ablegten, daß Istariku einst eine beachtliche Stadt gewesen war, doch für die Reisenden war das kleine Zeltdorf am Strand interessanter. Zusätzlich lag ein Dutzend leichter Galeeren am Ufer, die man auf den Strand hochgezogen hatte, und im tieferen Wasser schaukelten mehrere schwerere Schiffe. Einige waren deutlich als Handelsschiffe erkennbar, andere aber zeigten das Banner der Flotte von Istar.

Kurulus meldete sich freiwillig für die Aufgabe, seine *Donnerlachen* hineinzufahren, um zu prüfen, ob er an Land für einen Teil seiner Ladung Käufer finden könnte. Wichtiger aber war, sich Kapitäne zu suchen, bei denen sich nach genügend Wein vielleicht die Zunge löste.

»Wenn es ums Trinken geht, erwartet jeder von Seebarbaren das Schlimmste«, sagte er. »Die Leute an Land werden mißtrauisch sein und ihre Hände immer dicht am Schwert haben. Aber das Haus Encuintras wird mein Schild und mein Stab sein.«

Jemar konnte dem nur beipflichten. Aber er mußte Kurulus auch warnen, nicht zu viel von der Fahne seines Hauses zu erwarten. »Nach allem, was ich gehört habe, ist der alte Josclyn Encuintras nicht mehr der, der er mal war, und er ist womöglich nicht mehr lange zur Stelle, um uns zu helfen.«

Kurulus senkte seine Stimme so weit, daß nur Jemar, Pirvan und Haimya ihn noch hören konnten. »Das ist es, was er alle Welt glauben machen will. Aber ich wette um den Preis einer dieser Galeeren, daß er mindestens noch zehn Jahre lebt. Ein anständiger Zwist mit dem Königspriester kommt ihm womöglich gerade recht, solange er noch jung genug ist, ihn zu genießen. Und es wird ihm noch besser gefallen, wenn er herausfindet, wer in seinem Haus dem Königspriester in den Hintern kriecht – damit er den Schuldigen in Fischfutter verwandeln kann.«

Da Josclyn Encuintras die Siebzig schon überschritten hatte

(Eskaia war das letzte Kind von seiner dritten Frau und die einzige Überlebende der vier, die seine Frauen ihm geboren hatten), machte Kurulus' Aussage Pirvan ein wenig eifersüchtig. Obwohl er erst halb so alt war wie der alte Mann, dachte er jetzt schon genauso oft an die Freuden von Heim und Herd wie an die Ehre, Gegner zu schlagen.

Aber schließlich hatte er Haimya, und Josclyn Encuintras hatte niemanden.

Am Vormittag lenkte Kurulus die *Donnerlachen* nach Istariku, während Jemars drei Schiffe vor der Küste von Karthay zu kreuzen begannen. Kurulus hätte schon früher abfahren können, wenn Rubina nicht einen Streit angezettelt hätte. Sie fand, sie könnte ebenfalls eine Menge Nützliches in Erfahrung bringen, wenn man ihr gestattete, Kurulus zu begleiten.

Tarothin sah nicht nur wenig erfreut aus, sondern sagte auch mehr, als er Pirvans Meinung nach hätte sagen sollen. Rubina machte ihrerseits ein unzufriedenes Gesicht, schwieg aber verdrossen.

Jemar spielte den Friedensstifter. »Herrin, ich bezweifle nicht, daß Eure Macht, Männer zum Plaudern zu bringen, die der besten Weine übersteigt. Ich stelle auch nicht Euer Recht in Frage, jede Macht zu nutzen, die Ihr für geeignet haltet, um ihre Zungen zu lösen.« Dieser letzte Satz war von einem scharfen Blick zu Tarothin begleitet. »Aber schon wenn Ihr die *Donnerlachen* betretet, würdet Ihr mehr verraten, als Ihr erfahrt. Unsere Feinde würden sehr bald herausfinden, daß wir von einer Schwarzen Robe begleitet werden, einer Schwarzen Robe aus Karthay. Bedenkt, daß dies so viel Verdacht erregen könnte, daß manch ein Kapitän bereit sein dürfte, der Macht des Hauses Encuintras zu trotzen, um uns Schwierigkeiten zu machen.«

Rubina nickte langsam. »Das ist allerdings wahr. Ich bin eine jener Waffen, die man am besten erst in äußerster Not einsetzt. Und je mehr ich Sir Pirvan helfen kann, seine Zeit in Karthay bestmöglich zu nutzen, desto besser für uns alle.«

Pirvan hoffte inständig, daß sie auf die Pläne der Reisenden, Söldner anzuheuern, anspielte, was sie mit oder ohne die Hilfe der Herrscher von Karthay und der Spione der Solamnischen Ritter in der Stadt vorhatten.

Plötzlich stellte sich die Schwarze Robe auf die Zehenspitzen und streifte mit ihren Lippen Tarothins Ohr. »Außerdem würde ich mich deiner Gesellschaft berauben, wenn ich an Land ginge. Nichts, was ich bei den Istarern erfahren könnte, kann einen solchen Verzicht wert sein.«

Es war ihr offensichtlich ernst damit, und Pirvan verstand nun den Gedanken, den er auf den Gesichtern vieler seiner Reisegefährten gelesen hatte: *Werft dieses Weibsstück über Bord und ihre schwarzen Laken hinterher. Nichts, was sie für uns tun kann, ist es wert, diesem Geschwätz zuzuhören.*

Aber als Ritter hatte er Ehre und Vorsicht gelobt, und nichts von beidem hätte es gestattet, Rubina an diesem Punkt der Reise loszuwerden. Außerdem würden sie jede erdenkliche Unterstützung brauchen, um genug Männer zusammenzutrommeln, die ihnen halfen, ihre Pläne durchzuführen.

Deshalb stand Rubina mit Tarothin auf dem Achterkastell der *Windschwert* und winkte Kurulus zum Abschied zu, als er die *Donnerlachen* zum Ankerplatz lenkte, wo bereits Boote ausgebracht wurden, um ihn zu begrüßen.

Der »Bootsmann« war ein Gasthof anständiger Größe und bescheidenem Komfort im Westhafenviertel von Karthay. Obwohl der Wirt dem Spion der Ritter in der Stadt zufolge nicht den Ruf hatte, verschwiegen zu sein, war er klug genug, diese Gabe zu entwickeln, wenn er mit Jemar dem Schönen im Geschäft war.

Der Seebarbar war kein blutrünstiger Mann, der aus Vergnügen tötete. Aber er war dafür bekannt, daß er ein gutes Gedächtnis für Indiskretion oder Verrat hatte und mit den Plauderern oder Verrätern kurzen Prozeß machte, wenn er sie irgendwann erwischte.

Aus einem Hinterzimmer des »Bootsmanns« brachen Pirvan und Jemar auf, um eine Gruppe Krieger anzuheuern, die für ihre Zwecke zahlreich und eindrucksvoll genug war. Haimya bot ihre Hilfe an, aber ihre Söldnerjahre waren lange her, und die meisten ihrer alten Kameraden hatten sich zur Ruhe gesetzt oder waren tot, genau wie die meisten Verwandten.

Grimsor lief durch die Straßen und sammelte den einen oder anderen Kandidaten auf, denn er kannte sowohl die Seefahrer als auch die Brüder des Nachtwerks, ganz zu schweigen von ein paar alten Freunden aus seinen Tagen als Ringer. Aber seine Hauptaufgabe bestand darin, die Waffen zu besorgen, da die Lords von Karthay leicht unruhig werden konnten, wenn sie sahen, daß dieselben Männer Soldaten anheuerten *und* Ausrüstung kauften.

Bis an sein Sterbebett würde sich Pirvan nicht sicher sein, ob Rubina ihnen half oder sie behinderte. Genauso lange würde er brauchen, um einen Abend im »Bootsmann« zu vergessen, an dem Rubina sich ihm und Jemar bei einer Diskussion um das Anheuern von fünfzig Männern über einen gewissen Birak Epron anschloß.

Epron war ein Söldner, dem ein gewisser Ruhm vorausging, und so klein und drahtig, daß man Kenderblut in ihm hätte vermuten können, wenn er nicht so gesprächig wie die Tische im Gasthaus gewesen wäre. Er saß den drei Abenteurern gegenüber auf seiner Bank, schlürfte seinen einen, großen Humpen Bier, beantwortete Fragen mit einzelnen Worten oder einem Grunzen und stellte während des gesamten ersten Teils des Abends nur zwei Fragen.

Die eine lautete: »Welche Belohnung ist auf Waydols Kopf ausgesetzt?«

»Das hängt davon ab, wie viele Köpfe wir außer seinem erbeuten«, antwortete Pirvan. »Es gibt zehn Türme für jeden in der Expedition, der Waydol besiegt, und jede Menge Ehre dazu. Wenn wir auch den Rest seiner Bande zur Strecke bringen – warum sollten Generäle mit goldenen Helmen auf ihrem leeren Kopf denn alles allein bekommen?«

»Weil Aurhinius' Kopf nicht leer ist«, entgegnete Epron, was seine bis dahin längste Aussage war.

Pirvan beschloß, daß er nie wieder versuchen würde, einen erfahrenen Söldner davon zu überzeugen, daß die Reise leicht werden würde.

Eprons zweite Frage kam später und lautete: »Habt ihr Heiler dabei?«

Diese Frage beantwortete Rubina, noch bevor einer der Männer etwas sagen konnte. »Natürlich. Jeder Zauberer meines Ranges beherrscht Heilzauber, vielleicht nicht der höchsten Stufe, aber genug, um vielen Männern das Leben zu retten, die sonst sterben würden. Ich bin keine Jüngerin der Mishakal, aber wenn du mich einen Schmerz heilen läßt, werde ich dich sicher zufriedenstellen können.«

Birak Eprons Gesicht nahm einen berechnenden Ausdruck an, und seine Zunge löste sich. »Wenn du an etwas Hand anlegen möchtest, was am meisten der Heilung bedarf, ist dies nicht der richtige Ort dafür. Es liegt mir nicht, öffentlich die Hosen herunterzulassen, das tue ich nur hinter verschlossenen Türen.«

»Dann sollten wir unbedingt einen Raum aufsuchen, dessen Tür man verschließen kann«, sagte Rubina. Sie legte Epron eine Hand auf die Schulter, und Pirvan hätte geschworen, daß der Mann vor Freude einen Augenblick lang einige Fingerbreit über der Bank schwebte.

Rubina hatte ihren Kopf an Eprons Schulter und er einen Arm um ihre Taille gelegt, als sie aufstanden und sich in Richtung Schlafräume aufmachten. Es war nicht besonders hilfreich, daß genau in diesem Moment Tarothin den Raum betrat.

Er sah, wie Rubina mit einem anderen Mann die Treppe hinaufstieg, und sein Gesicht nahm die Farbe seiner Robe an. Er sah aus, als würde er gleich in wütendes Fluchen ausbrechen – oder einen Zauber sprechen, der das Gasthaus in Flammen aufgehen lassen würde.

Bevor er eins von beidem in die Tat umsetzen konnte, stand Jemar auf. Seine Hand lag am Schwertknauf. »Tarothin, laß es sein! Du bist zu alt, um ein Flittchen zu verkennen, auch wenn ihre Röcke schwarz sind. Du bist zu jung, um dich zum Narren machen zu lassen. Und bei Habbakuk und Kiri-Jolit, du bist zu klug, um nicht zu wissen, daß ein Flittchen sich niemals ändert, so charmant du auch sein magst!«

Einen Augenblick dachte Pirvan, er müsse zwischen den Seemann und den Zauberer treten, damit sie sich nicht schlugen. Diese Angst stand jedem in Hörweite ins Gesicht geschrieben – also wahrscheinlich jedem im »Bootsmann« und auf der Straße davor!

Schließlich holte Tarothin tief Luft, preßte sich die Hände an die Seiten und leckte sich über die Lippen. »Pirvan, entschuldige mich bei deiner Frau und bei allen, denen ich deiner Ansicht nach eine Erklärung schuldig bin. Ich stelle fest, daß ich diese Reise nicht fortsetzen kann. Rubina beherrscht alle Magie, die ihr brauchen werdet, selbst wenn sie sich selbst kein bißchen besser beherrschen kann als Jemar.«

Der Seebarbar nahm das Aussehen eines Walroßbullen an, der kurz vor einem Angriff steht. »Ich weiß sowohl mich selbst als auch meine Schiffe zu beherrschen. Und ich sage dir, wenn du etwas anderes glaubst, dann brauchst du nie wieder einen Fuß an Bord meiner Schiffe zu setzen!«

»Das wird mir ein Vergnügen sein, auf das ich nicht zu hoffen gewagt hatte«, fauchte Tarothin ihn an und lief so wütend hinaus, daß er mit einem Küchenjungen zusammenstieß und diesen mitsamt einem Tablett voll Speisen umwarf.

»Dies scheint nicht der beste Abend seit unserem Wiedersehen zu sein«, sagte Jemar einige Zeit später. Es hatte eine Weile gedauert, bis die Männer den Wirt für den Schaden bezahlt hatten und Haimya den Jungen mit ihren alten Heilkünsten wiederhergestellt hatte. Er würde am anderen Morgen mehr Schmerzen haben, als wenn Rubina ihn behandelt hätte, aber niemand war bereit, die Schwarze Robe aufzusuchen und sie bei der »Heilung« von Birak Epron zu stören.

Kurz danach erklärte Pirvan, er wäre erschöpft, und zog sich in den Raum zurück, den er sich mit Haimya teilte. Er war kein bißchen müde, aber das Schlafbedürfnis war eine ausreichende Entschuldigung, um anderen aus dem Weg zu gehen, bis er seinen eigenen Ärger im Zaum hatte.

Er hätte Tarothin nicht zugetraut, sich in eine solch törichte Eifersucht hineinzusteigern. Er glaubte auch nicht, daß Rubina einen echten Ersatz für Tarothin darstellen würde, denn ob Karthayerin oder nicht, sie war eine Schwarze Robe und damit eine Dienerin der Takhisis. Die Königin der Finsternis stand für alles, das Paladin, dem Schutzherrn der Ritter von Solamnia, entgegengesetzt war.

Er fragte sich sogar, ob es für ihn selber zulässig – geschweige denn klug – war, diese Reise fortzusetzen.

Sein einziger Trost war, daß er tatsächlich schläfrig geworden war, während er sich gewaschen und sein Nachthemd angezogen hatte. Er blies die Kerze aus und legte sich ins Bett.

Jemand war bei Pirvan im Zimmer, und er hatte sofort den Dolch unter dem Kopfkissen hervorgezogen, als er dies bemerkte. Dann lag er reglos da, bis er am Geruch und am Atem und am Geräusch der ausgezogenen Kleider und Stiefel Haimya erkannte.

Sie schlüpfte ins Bett und schlang ihre Arme von hinten um ihren Mann. Ihr warmer Atem streifte weich und beruhigend seinen Nacken. Pirvan schob den Dolch wieder unter sein Kissen und lag still.

»Kurulus ist zurück«, sagte Haimya schließlich. »Er sagt, es wäre gut, wenn wir unsere Pläne schnellstens in die Tat umsetzen. In Istar versammeln sich weitere Schiffe – mindestens zwanzig, und entsprechend viele Soldaten –, die sich denen anschließen sollen, die schon hier sind.«

Pirvan runzelte die Stirn. Ihr Plan war ganz einfach: Jemar sollte Pirvan und etwa zweihundert angeheuerte Soldaten über die Bucht fahren und dort heimlich an Land bringen. Dann würden sie über Land in das Gebiet einmarschieren, das der Minotaurus Waydol unsicher machte.

In der Zwischenzeit sollte Jemar mit weiteren hundert Söldnern aus der Bucht von Istar nach Westen segeln, um dort seine übrigen Schiffe und Männer zu treffen. Er würde sie zur gleichen Zeit dort an die Küste bringen, wo man Waydols Festung vermutete, zu der die Marschkolonne diesen Ort auf dem Landweg erreichte. Da sie aber weder den Kopf von Waydol noch die seiner Männer brauchten, um ihre Aufgabe erfüllt zu haben, würden die Gefährten dann Waydol und auch seiner Bande sicheres Geleit bis außerhalb der Reichweite von Istars Flotte und Armee anbieten.

Wenn Istar jedoch weitere Streitkräfte zu See und zu Land in den Norden schicken wollte, würde es jetzt ein Wettrennen geben. Es ging nicht nur darum, daß die Gefährten Waydols Festung vor Aurhinius erreichten. Es ging auch darum, daß die Gefährten es schaffen mußten, bevor Istar Jemar vom Segeln oder die Söldner vom Marschieren abhalten konnte.

Außerdem war da noch die Gefahr, daß die Istarer dies in ihrer Arroganz durch eine Blockade von Karthay oder die Landung von Soldaten auf Gebieten tun könnten, welche die Karthayer für sich beanspruchten. Beides konnte zwischen Istar und Karthay eine tiefe Kluft aufreißen. Dies zu verhindern war das Ziel des Unterfangens, für das Pirvan und Haimya ihre Freunde und Beziehungen auf den Plan gerufen und auf Geheiß der Ritter von Solamnia Heim und Herd verlassen hatten.

Nicht einmal Haimyas warmer Körper konnte Pirvan beruhigen.

Sie spürte seine gespannte Unruhe und schob sich dichter an ihn heran. »Was beunruhigt dich, mein Herr und Geliebter?«

Er erzählte ihr von seinen Gedankengängen und seiner Enttäuschung über Tarothin. »Ich weiß nicht, ob ein Mann je zu alt ist, um sich wegen einer Frau zum Narren zu machen. Aber Tarothin ist viel zu alt für einen solchen Wutanfall und sollte dadurch nicht seine Kameraden in Gefahr bringen.«

Da merkte er, wie Haimya bebte. Er wollte sich umdrehen, um sie zu umarmen und ihr die Tränen wegzuküssen, die im nächsten Augenblick fließen würden.

Aber statt dessen biß sie in sein linkes Ohrläppchen. Glücklicherweise erstickte das Kissen Pirvans Aufschrei, und bis der Schmerz nachgelassen hatte, wurde ihm klar, daß Haimya nicht weinte – ganz im Gegenteil.

»Liebe Gemahlin«, flüsterte er. »Du kannst ein Kissen bekommen, um dein Lachen zu unterdrücken. Aber wenn du mir hinterher nicht den Witz erzählst, der dich so erheitert, werde ich dich damit ersticken.«

Haimya beruhigte sich wieder. »Ich wünschte, wir hätten es dir vorher sagen können«, fing sie an, »aber wir wußten doch …«

»Wir?«

»Jemar, Tarothin und ich. Ich glaube, Grimsor hat es erraten, aber er kann den Mund halten und sich beherrschen.«

»Du machst alles nur noch geheimnisvoller, anstatt die Sache aufzuhellen«, sagte Pirvan müde. »Bitte sprich weiter.«

»Kurz gesagt, der Streit war ein abgekartetes Spiel. Tarothin bleibt hier, seine Loyalität gegenüber Istar und dem Königspriester ist scheinbar wiederhergestellt. Mit ein wenig Glück und ein paar Bestechungen, für die Jemar das Silber gestellt hat, kann Tarothin mit der Flotte von Istar segeln. Damit haben wir Augen, Ohren und Magie unter unseren Feinden – oder denen, die welche werden könnten.«

Haimyas Wärme war so angenehm, daß Pirvan am liebsten wieder eingeschlafen wäre, wenn ihm nicht immer noch tausend Fragen durch den Kopf geschossen wären. »Habt ihr mir nicht getraut?«

»Deiner Ehre schon. Deinem Gesicht nicht.«

»Meinem Gesicht?«

»Es wäre wie eine Schriftrolle gewesen, von der Feinde alles hätten ablesen können, was sie nicht wissen sollten. Ich vermute, als Dieb warst du zu ehrlich, um ein guter Schauspieler zu werden, und inzwischen bist du natürlich gut zehn Jahre Ritter von Solamnia …«

Es dauerte noch ein Weilchen, ehe Haimya Pirvan schließlich von ihrer Geschichte überzeugt hatte. Als es ihr schließlich gelungen war, lachte er als erstes leise in ihr Haar. Dann nahm er sie in die Arme.

»Nun, ich bin vielleicht nicht so ein guter Schauspieler wie Tarothin, aber für den Rest dieser Reise bleibt mir eine Gnade, die ihm nicht zuteil wird.«

»Und die wäre?«

«Er muß für den Rest der Reise keusch bleiben. Ich dagegen …«

Haimya beendete das Gespräch mit ihren Lippen.

Kapitel 9

Die kleine Expedition mußte ein Stück auf demselben Kurs zurückfahren, um sicherzugehen, daß Pirvan und seine Männer unbehelligt landen konnten. Direkt gegenüber von Karthay wäre zu nah an Istariku und seiner wachsenden Garnison und Flotte gewesen. Weiter nördlich nahe der Mündung der Bucht hätte einen langen Marsch durch bereits befestigtes Gelände bedeutet; ansonsten gab es dort nur tropischen Regenwald.

Nach Süden zu segeln bedeutete ebenfalls einen langen Marsch, aber einen, der frei von großen Städten, feindlichen Garnisonen oder größeren natürlichen Hindernissen war. Zudem gab es dort reichlich Wasser und eine Menge Wild. Schließlich konnten sie keinesfalls genug Proviant für die ganze Reise mitnehmen.

Was sie nicht jagen oder sammeln konnten, wollten sie kaufen, und das Gold und Silber, das Jemar und die Ritter beigesteuert hatten, sollte vor allem dazu dienen, ihnen den Zugang zu Lagerhäusern zu öffnen. Pirvan hoffte, daß es sogar noch dafür reichen würde, allzu redefreudige Münder zu verschließen.

Immerhin wußten sie nun mehr als zuvor darüber, mit welchem Befremden die Bewohner des Nordens die Herrschaft von Istar beobachteten. Einigen spukten noch alte Familiengeschichten über die Herrschaft von Karthay im Kopf herum, oder jüngere Erzählungen darüber, wie sie von den unterdrückten »Barbaren« zur Zeit des Heiligen Bundes mit Hilfe der Ritter von Solamnia von ihrem Land verjagt worden waren.

Bei den meisten jedoch lag das Befremden in der einfachen Tatsache begründet, daß die Herrschaft der mächtigen Stadt umso weniger liberal war, je weiter man von Istar entfernt war. Pirvan war kein großer Historiker, aber er hatte in den Bibliotheken der Ritterburgen wie auch in seinen eigenen Büchern genug gelesen, um etwas aus den Lektionen der Vergangenheit gelernt zu haben.

Eine dieser Lektionen lautete, daß jedes große Reich größten Wert darauf legen sollte, daß seine abgelegeneren Provinzen gut regiert wurden. Wer am weitesten vom Zentrum der Macht entfernt lag, war die leichteste Beute für korrupte Gouverneure und Offiziere – und diesen Gebieten fiel es auch leichter, Bündnisse mit anderen Herrschern zu schließen, was eine reiche Quelle für jede Art von Krieg ergab.

Nicht daß die Bewohner dieses nördlichen Landstrichs sich mit anderen hätten verbünden können, selbst wenn sie es gewollt hätten. Die Zwerge von Thorbardin hätten über die Vorstellung, menschliche Untertanen zu haben, gelacht, und Solamnia konnte kaum die Schwertscheidenrolle brechen. Aber ein Land, in dem es vor Unzufriedenheit brodelte wie in einem unbeaufsichtigten Suppentopf, war kein friedliches Land.

All dies belastete Pirvan schwer, als er die letzten aus seiner Landmannschaft aus den Booten klettern und an Land waten sah. Der Himmel war trüb, denn die Wolken hingen tief und es war noch früh am Morgen. Der Wind hatte sich gelegt. Das Wasser war schwarz und so still, daß es ihnen beinahe ölig vorkam.

Weiter draußen auf See verschluckten Nebel und Regen selbst die *Seeleopard*, das vorderste der vier Schiffe. Mehrere Boote, die bereits entladen waren, schoben sich langsam zu

151

dem Seebarbarenschiff zurück. Pirvan wollte gern glauben, daß er Grimsor am Bug stehen sah, aber er wußte, daß dies wohl größtenteils seiner Phantasie entsprungen war.

Ein sehr reales Platschen in der Nähe ließ ihn herumwirbeln. Rubina watete an Land. Sie hatte sich ihre Röcke bis über die Knie hochgerafft, damit sie trocken blieben. Das hatte zwar nicht den erwünschten Erfolg gebracht, aber zumindest war es ihr dadurch gelungen, eine Menge Blicke auf sich zu ziehen.

Birak Epron räusperte sich. »Meine liebe Rubina. Ich finde, du hättest etwas Praktischeres anziehen sollen, bevor du ins Boot gestiegen bist. Ich bin sicher, daß Lady Haimya gern Wache halten wird, während du dich umziehst, sobald unser Gepäck an Land ist.«

Rubina trat ans Ufer und ließ ihre Röcke herunter. Pirvan sah, wie seine Männer das Gesicht verzogen, als Rubinas wohlgeformte Beine nicht mehr zu sehen waren.

Jetzt trat die Schwarze Robe an den Söldnerkapitän heran und schenkte ihm ein äußerst gewinnendes Lächeln. »Ich hätte weitaus lieber deine Gesellschaft beim Umziehen ...« setzte sie an.

Epron schnitt ihr das Wort ab. »Herrin. Halte mich bitte nicht für undankbar. Aber ich habe meinen Männern gegenüber Pflichten – wie du im übrigen auch. Eine Pflicht, die uns beiden zukommt, ist, unter ihnen Disziplin zu halten.«

Rubina runzelte die Stirn. Es war das Stirnrunzeln einer überaus gerissenen Frau, die sich dumm stellt. »Mein lieber Freund, mir scheint, du willst mir meinen ersten Krieg sehr schwer machen. Nun habe ich nicht nur Tarothin verloren, sondern anscheinend auch ...«

»Lady Rubina«, unterbrach Haimya sie in einem Ton, der jeden Widerspruch ausschloß. »Gehen wir beiseite, und während Ihr Euch umzieht, erkläre ich Euch, wie schwer ein Krieg wirklich ist.«

Sie packte Rubina fest am Arm. Einen Augenblick sah es so aus, als wollte sich die Schwarze Robe körperlich oder gar magisch widersetzen, und Pirvan und Epron wechselten in völliger Übereinstimmung einen entschlossenen Blick.

Ohne zu bemerken, wie knapp sie davongekommen war, ließ Rubina sich dann aber zu einer blickdichten Hecke aus Drachenzahnbüschen führen, die an dieser Küste zur Größe junger Bäume heranwuchsen.

Als die Frauen verschwunden waren, drehte sich Pirvan zu dem Söldnerhauptmann um. »Ich danke Euch.«

»Ich beschütze meine Männer vor allen Gefahren, und sie mich ebenso, Sir Pirvan. Diese Abmachung halte ich selbst gegen alle Türme der Erzmagier ein. Hattet Ihr je Grund zu glauben, daß Söldner keine Ehre im Leib haben?«

»Absolut nicht, ganz im Gegenteil. Aber ich habe auch gelernt, nicht die Macht einer … einer …«

»Einer Frau wie Rubina zu unterschätzen, die einen Mann mit anderen Körperteilen denken läßt als mit dem Kopf?«

»So könnte man es wohl auch ausdrücken.«

Der Kiel des letzten Bootes knirschte über den Kiesstrand, als es zu Wasser gelassen wurde. Pirvan betrachtete den Berg an Ausrüstung und Vorräten, den man ihnen zurückgelassen hatte, und die Männer, welche die Sachen bereits in Verstecke schleppten.

Es war nicht schlecht, daß Birak Epron der älteste Söldnerhauptmann hier war und damit an Land nur Pirvans Befehl unterstand. Seine Männer waren nicht nur die besten von allen; sie gaben sich auch große Mühe, ihre Fähigkeiten und ihre Disziplin an ihre buntgemischte Kameradentruppe weiterzugeben.

Was Rubina anging, so schwor sich Pirvan, sie nach Möglichkeit Haimya und Epron zu überlassen. Nur wenn die beiden sie nicht dazu bringen konnten, sich auf der Expedition als nützlich zu erweisen, würde er selbst einschreiten müssen.

»Ich bitte um Verzeihung für unseren Mangel an Gastfreundschaft, aber wir haben im letzten Jahr unsere Ernte verloren«, sagte der Mann, der vor Dahrin kniete. Er stellte ein Holztablett vor dem Erben des Minotaurus ab. Darauf war ein Kranz aus Trockenfrüchten und Nüssen um ein Stück Pökelfleisch gelegt, das noch härter und dunkler war als das Tablett selbst. Dann erhob sich der Mann und trat zurück.

Im flackernden Schein der Fackeln sah Dahrin, daß seine Männer so auf der Hut waren, wie es sich in einem fremden Lager gehörte. Also konnte er sich ganz auf den Anführer konzentrieren, ohne daß er Überraschungen von den Mitgliedern der fremden Bande zu befürchten hatte.

Es waren nicht nur Menschen darunter. Irgendwo in diesem Land hatten sich in den letzten paar Generationen wiederholt Oger mit menschlichen Frauen gepaart. Von den dreißig Mann, die Dahrin gezählt hatte (unauffällig, denn offenes Zählen hätte sofort einen Kampf auslösen können), wiesen mindestens zehn Spuren von Ogerblut auf.

Der Anführer, der Dahrin gerade das Gastessen vor die Füße gelegt hatte, war einer dieser Mischlinge. Er war so groß wie Dahrin und wäre wohl auch so breit und stark gewesen, wenn harte Arbeit und karges Essen dem Ogerblut nicht zugesetzt hätten. Er war noch nicht einmal wirklich häßlich, geschweige denn mißgebildet. Die wulstigen Augenbrauen, die Form seines Schädels, die Kieferlinie und die verfilzten Haare überall, außer an den Stellen, wo alte Narben die Haut des Anführers übersäten – das waren die einzigen Merkmale, die an einen Oger erinnerten.

Aber das hatte gereicht, um ihn zum Gesetzlosen zu machen. Zu keinem erfolgreichen allerdings, wenn man den Zustand seiner Männer, ihrer Waffen und des Lagers berücksichtigte – kurz und gut, der Mann konnte es sich nicht leisten, ein Bündnis abzulehnen, das ihm angeboten wurde.

Zum zehnten Mal in ebenso vielen Tagen wünschte sich Dahrin, er könnte in der Festung bleiben und Waydol würde durch das Land reisen, um Bündnisse mit Banden von Gesetzlosen, einzelnen Räubern und den Unzufriedenen oder Unruhegeistern im ganzen Land einzugehen. Doch das war leider unmöglich. Kein Pferd konnte Waydol tragen, und die Arbeit mußte schnell erledigt werden.

Außerdem waren in Wahrheit nicht alle Gesetzlosen dieses Landes automatisch gut auf Minotauren zu sprechen, nur weil sie schlecht auf Istar zu sprechen waren (oder wer auch immer zufällig gerade für Recht und Gesetz im Land sorgte). Der Erbe des Minotaurus erregte weder Verdacht noch Ärger, wohingegen es dem Minotaurus durchaus so hätte ergehen können.

Dahrin winkte seinen Männern zu, sich seitlich von ihm zu postieren. Als sie einen Halbkreis gebildet hatten, der sich zum Halboger und seinem Feuer hin öffnete, begann Dahrin zu essen.

Er hatte keinen Hunger, der das karge Mahl schmackhafter hätte machen können, aber beim Essen sah er seine Männer über das Feuer blicken. Sie fragten sich, wann ihr eigenes Essen fertig sein würde. Er runzelte die Stirn. Es sah nicht so aus, als ob der Halboger weitere zwölf Männer aus seinen Lagerhäusern würde bewirten können. Dahrin selbst aß nur, um seine friedlichen Absichten zu beweisen, aber er aß, während seine Männer nichts bekamen, und das verstieß für ihn gegen Brauch, Ehre und Verstand gleichermaßen.

»Bruder aus dem grünen Wald, darf ich dir zwei Fragen stellen?« sagte er zu dem Halboger.

»Hier darf man jede Frage stellen, aber was die Antwort angeht ...«

»Ich verstehe. Zunächst, ist Pedoon der Name, unter dem du bekannt bist, oder der, unter dem du bekannt sein möchtest?«

Der Anführer fuhr sich mit dem Daumen über die Brauenwülste. »Ich höre seit Jahren auf den Namen Pedoon und auf nichts anderes. Ich glaube nicht, daß ich mich angesprochen fühlen würde, wenn du einen anderen Namen benutzen würdest.«

»Sehr gut, Pedoon. Gibt es in deinem Lager etwas zu essen für meine Männer? Und wenn nicht, können wir auf eurem Land beliebig auf die Jagd gehen, damit wir nicht vor der Wahl stehen, ob wir unsere Gürtel enger schnallen oder aufessen sollen?«

Das rauhe Gelächter von Pedoons Männern hallte von den Wänden wider. Nach einem Blick auf sie war Dahrin allerdings überzeugt, daß sie Scherze über Hunger nicht besonders lustig fanden.

»Seid ihr mit Brot und Salz und anschließend den Jagdrechten zufrieden?« fragte Pedoon.

Dahrin nickte. Ob Brot und Salz Pedoon gegen jeden Verrat banden wie bei vielen Menschen, wußte er nicht. Vieles hing davon ab, wo Pedoon aufgewachsen war, ob unter Ogern oder unter Menschen, aber das war eine Frage, die er erst stellen würde, wenn er mit ihm allein war.

Das Brot war nur halb durchgebacken und bestand aus Mehl von einer Pflanze, die ganz sicher nicht zu diesem Zweck bestimmt gewesen war. Das Salz war gröbstes Steinsalz. Aber da die Augen beider Anführer auf ihnen lagen, wagten Dahrins Männer nicht abzulehnen, besonders als sie sahen, daß Dahrin auch selbst von dem Brot und dem Salz aß.

Sie hatten ihr Ritual gerade beendet, und einige griffen schon nach ihren Wasserflaschen, als ein Mann drei Schritte links von Dahrin sich plötzlich auf die Knie aufrichtete, den Mund aufriß und sich an die Kehle griff. Schleim lief aus seinen Augen und seiner Nase, und es sah so aus, als wollte er sich übergeben.

Eine kleine Gestalt am rechten Ende der Reihe sprang auf

und rannte in die Dunkelheit hinaus, wo die Pferde und ihre Wachen standen. Pedoon rief einen Befehl, und ein halbes Dutzend seiner Männer sprang auf und folgte Dahrins Läufer.

»Halt!« schrie Dahrin. Ein Mann war den anderen ein Stück voraus, und als Dahrin sich umdrehte, hob er einen Speer.

Dahrin trug keine Armschienen, aber die Kraft seiner Arme war dieselbe, als hätte er welche gehabt. Er griff nach dem Speerschaft, riß dem Mann die Waffe aus den Händen und stieß ihm das stumpfe Ende unter das Kinn. Der Angreifer fiel rückwärts unter seine Kameraden – und alle Männer auf beiden Seiten sprangen wie auf Kommando auf die Beine. Im nächsten Augenblick hatte jeder eine Waffe in der Hand.

Es schien, als würde es gleich ein Blutbad geben, doch da kehrte die kleine Gestalt aus der Dunkelheit zurück. Jetzt hatte der Läufer einen Stab dabei, von dessen Spitze ein überirdisch blaues Licht ausging, matt, aber selbst im Schein des Lagerfeuers für alle sichtbar.

»Halt!« schrie Pedoon, und Dahrin wiederholte den Ruf. Sirbones eilte zu dem würgenden Mann hinüber, der jetzt zuckend auf der Seite lag. Er legte dem Mann den Stab, den der Läufer gebracht hatte, auf den Hals, dann auf den Bauch, dann auf die Brust, und schließlich trat er zurück und sang mit einer Stimme, die wie ein ohrenbetäubendes Reibeisen klang.

Es sah so aus, als würde der Mann alles von sich geben, was er seit dem Verlassen der Festung gegessen hatte. Zusammen mit zwei seiner Kameraden half Sirbones ihm, sich auf ein sauberes Stück Rasen zu schleppen, und wischte ihm mit Blättern und Wasser das Gesicht ab. Dann deckten sie zwei Mäntel über ihn, und Sirbones kam zu Dahrin.

»Das meiste Gift ist raus, und meine Heilung wird das besiegen, was noch übrig sein mag.«

»Was war das für ein Gift?«

»In einem solchen Brot könnte man ein Dutzend Gifte verstecken, die unmöglich zu schmecken sind«, sagte Sirbones. »Frag den Giftmischer. Oder ich kann ...«

»Nein!« Das war Pedoon. Er stand jetzt neben dem Mann, der versucht hatte, Dahrin aufzuspießen. »Er hat die Gesetze der Götter und seiner Bande verletzt. Er war ein Narr und ein Verräter. Aber du wirst nicht in seinen Geist eindringen.«

»Wäre er besser dran, wenn man ihm glühende Kohlen in alle Körperöffnungen stopft, bis er vor Schreien seine Stimme verliert und stirbt, ohne zu reden?« fauchte Sirbones ihn an.

Dahrin trat zwischen den Priester und den Halbogerhauptmann. »Werdet ihr Sirbones antworten? Wir werden deswegen keinen Krieg vom Zaun brechen, aber ohne entsprechende Antworten werden wir euch nicht unsere Freunde nennen.«

Pedoon zuckte mit seinen massigen Schultern. Selbst auf seinen Schulterblättern wuchsen Haare, auch wenn viele davon grau waren. »Ansik hat sich immer ein wenig abseits gehalten. Ich weiß nicht, woher er das Gift hatte. Diejenigen seiner Kameraden, die es wissen, werden sicher dafür sorgen, daß niemand anders so dumm ist, seinem Beispiel zu folgen.«

Pedoon musterte die Reihen seiner Männer mit funkelndem Blick. »Warum er getan hat, was er getan hat – auf deinen Kopf ist ein Preis ausgesetzt, Erbe des Minotaurus. Das weiß jeder hier. Manche sind weniger ehrenhaft als andere, wenn es darum geht, sich diese Belohnung zu sichern. Bist du nun zufrieden?«

Dahrin sah Sirbones an. Der Preister zuckte mit den Schultern. Sein Gesicht verriet, daß die Antwort ihn nicht ganz zufriedenstellte, doch sie hatten kaum Aussicht darauf, eine bessere zu bekommen. Dahrin nickte.

»Darf ich nun Ansiks Speer haben?«

Dahrin reichte Pedoon den erbeuteten Speer mit dem Griff nach vorn, legte dabei aber die andere Hand auf seinen eigenen Schwertknauf. Er hätte nichts zu befürchten gehabt. Pedoon stand über Ansik, der noch gar nicht richtig zu sich gekommen war, und stieß dem gescheiterten Verräter den Speer mit aller Kraft in die Brust.

Ansik zuckte noch nicht einmal, ehe er sein Leben aushauchte.

Das Lager war in so tiefes Schweigen versunken, als wäre jeder einzelne der Männer Ansik in den Tod gefolgt. Pedoon durchbrach die Stille mit einem langen, rauhen Klageruf.

Der Rest der Bande fiel ein. Es war dies offenbar eine Totenklage, die weder gänzlich von Ogern noch von Menschen stammte, sondern beider Bräuche vermischte. Dahrin gab seinen Männern ein Zeichen, schweigend zuzuhören, bis die Klage beendet war.

Als die erschütterten Nachtvögel und Insekten, die ehrfürchtig gelauscht hatten, ihre Stimmen wiederfanden, trat Pedoon an Dahrin heran. »Kann ich dich allein sprechen, Erbe des Minotaurus?«

»Gerne.«

Dahrin war nicht glücklich über den dunklen Pfad, auf den Pedoon ihn führte, folgte ihm jedoch schweigend. Wenn der Tod durch Pedoons Verrat sein Schicksal sein sollte, konnte er es auch nicht abwenden, indem er sich als Feigling erwies oder indem er den Anführer nicht anhörte.

»Ich halte es für besser, wenn unsere Banden sich nicht zusammenschließen«, begann Pedoon. »Hunger und harte Betten sind leichter zu ertragen als die tägliche Sorge über Verrat von der einen oder anderen Seite her. Dann reagiert man gereizt, läßt die Waffen sprechen, Blut fließt, und am Ende haben wir alle weniger als zuvor.«

»Ich habe mir dasselbe überlegt«, sagte Dahrin, und seine Worte hätten die Prüfung durch einen hochrangigen Wahrheitszauber bestanden. »Ich hätte nicht gedacht, daß dein … daß du …«

»Du hast keine so kluge Entscheidung von einem Oger erwartet?« fragte Pedoon lachend. Im finsteren Wald war ein Ogerlachen ein unheimliches Geräusch. »Schande über dich, der du einem Minotaurus folgst.«

Darauf fand Dahrin keine Antwort.

Pedoon lachte leiser. »Ich schulde dir jedoch etwas, weil du Ansiks dummen Verrat nicht zum Anlaß für Blutvergießen genommen hast. Und diese Schuld kann ich immerhin begleichen. Es gab mal einen Mann, der mich und meine Bande drüben an der Bucht verschont hat. Es ist schon zehn Jahre her, und ich werde ihn vielleicht nie wiedersehen. Wahrscheinlich trage ich diese Schuld noch bis zu meinem Tod mit mir herum. Aber die Schuld dir gegenüber kann ich begleichen.«

Pedoon erklärte, wie er und mehrere andere Räuberhauptmänner übereingekommen waren, einander vor feindlichen Besuchern dieses Landes zu warnen. Er schwor Dahrin nun – und er versprach, auch die anderen zum Schwur anzuhalten –, daß jeder, der gegen Waydol und seinen Erben antrat, ebenfalls Grund zur Warnung sein würde.

»Wir werden nicht kämpfen, außer wenn die Angreifer nur wenige sind oder wir uns schneller zusammenschließen können als je zuvor. Aber Warnen – darauf könnt ihr zählen.«

Dahrin nahm Pedoons grobknochige Hand in seine. »Und ihr könnt darauf vertrauen, daß meine Jäger alles, was sie erlegen, mit euch teilen, bevor wir euer Land verlassen.«

Als sie zum Lager zurückkehrten, herrschte rundherum Stille. Nur die nächtlichen Geräusche des Waldes waren zu hören.

»Ist hier noch ein Platz frei?« fragte eine Stimme hinter Tarothin.

Die Rote Robe achtete darauf, sich mit leerem Blick umzudrehen und dann erst langsam den gutaussehenden Mann hinter seinem Stuhl richtig wahrzunehmen.

»Sieht so aus«, sagte Tarothin. Seine Worte waren nur ein klein wenig gedehnt. Dem Schein nach hatte er erst drei Becher guten Wein getrunken, was einem anständigen Trinker kaum würde etwas ausmachen können. Niemand würde sich mit ihm angelegt haben, wenn er den Eindruck erweckte, sein gebrochenes Herz hätte ihn zum Säufer gemacht.

Ohne weitere Umschweife setzte sich der Mann und winkte dem Schankmädchen zu, noch einen Krug Wein und einen Teller Würste zu bringen. Tarothin mußte seinen Becher nachfüllen lassen, als die Bestellung kam, aber es fiel ihm nicht schwer, den Wein nicht zu trinken.

Es gelang ihm jedoch, so zu tun, als ob er trinken und der Wein auf ihn wirken würde. Schließlich beugte der Mann sich vor und flüsterte: »Willst du's den Leuten heimzahlen, die dich zurückgelassen haben?«

»Was für Leuten?« fragte Tarothin.

Der Mann wollte schon laut lospoltern, doch dann überlegte er es sich anders und holte tief Luft. »Du weißt schon welchen. Die Geschichte ist inzwischen in ganz Karthay herum.«

Wenn das stimmte, hatte ihr jemand Stiefel, Flügel oder gar einen Ritt auf einem Drachen verpaßt. Aber wenn dieser Kerl davon gehört hatte und aus dem Lager stammte, an das Tarothin seine Hoffnungen knüpfte, war die Geschichte weit genug gekommen.

»Ach, Rubina und ihre Freunde?«

»Ja, so soll die Frau geheißen haben. Und die anderen?«

»Wenn du die Geschichte gehört hast, weißt du doch, wer sie sind. Verdammte Istarer. Dreimal verdammte Ritter.«

Die nächsten fünf Minuten verbrachte Tarothin damit, dem Mann zu schildern, was er Rubina, gewissen Istarern und jedem Ritter von Solamnia gerne antun würde, wenn sie ihm in die Hände fielen. Gelegentlich erhob er so die Stimme, daß er kritische Blicke von den Nachbartischen auf sich zog.

Einige Einzelheiten entsprangen Tarothins Phantasie. Einige stammten von einer der unangenehmsten Erfahrungen seines ganzen Lebens, dem Prozeß eines abtrünnigen Zauberers, der Heilsprüche benutzt hatte, um sein Opfer zu foltern. Tarothin hoffte inständig, daß das meiste wirklich seiner Phantasie entsprang.

Der andere Mann blieb ungerührt, bis Tarothin fertig war. Dann bestellte er mehr Wein. Der Zauberer konnte nur beten, daß der Mann endlich zur Sache komnmen würde, ehe er, Tarothin, so viel Wein trinken mußte, daß es ihm wirklich die Sinne verwirrte.

Die Wahren Götter erhörten Tarothin. Nachdem er den Becher zur Hälfte geleert hatte, beugte der Mann sich wieder vor und sagte: »Hör mal. Ich weiß nicht, was aus dir wird, wenn du zurück nach Istar gehst. Aber wir haben ein paar gute Karthayer, die diesen Kampf gegen Istar leid sind. Die Götter haben deutlich gezeigt, daß sie der Stadt ihre Gunst schenken, und wir haben keine Lust, gegen die Götter anzukämpfen. Wir wollen ein Schiff anheuern, ein großes, das einen Haufen starker Karthayer mitnehmen kann, die bereit sind, für Istar zu den Waffen zu greifen. Wir brauchen jede Menge Zauberer, aber angeblich bist du so gut wie drei gewöhnliche Zauberer zusammen. Können wir auf dich zählen?«

Der Wein hatte dem Mann mehr zugesetzt als Tarothin, so daß er eine ganze Weile brauchte, das alles herauszubekommen. Bis dahin bemerkte er allerdings nicht mehr, daß Tarothin aufgehört hatte zu trinken.

Das war nicht schlecht für Tarothin. Er wagte nicht einmal den kleinsten Selbstheilungsspruch, um nüchtern zu werden oder den anderen weiter zu verwirren. Der Mann sollte ruhig behaupten, er wäre ein Karthayer, der Istars Herrschaft gegenüber loyal wäre. *Wenn der ein Karthayer ist,* dachte Tarothin, *dann bin ich ein Kender!*

»Wo kann ich denn hin, um an Bord zu gehen?« erkundigte sich Tarothin.

»Egalobos. Das ist auf … auf der Schildmacherwerft.«

»Egalobos auf der Schildmacherwerft.« Tarothin warf einen sehr auffälligen Blick in seine Börse, bereit, die nächste Runde zu übernehmen.

»Deine Freunde … Freunde haben dir … kein G-gold ddda- gelassen?« stammelte der Mann.

Tarothin schüttelte den Kopf, und der Mann nickte. Dann kippte er vornüber auf den Tisch und warf dabei den Weinbecher um. Tarothin fand, daß er es eigentlich verdient hatte, mit dem Bart im Wein zu liegen, rief dann aber doch einen Dienstburschen.

Er achtete darauf, den Raum taumelnd zu verlassen. Wahrscheinlich war der Mann nicht allein hier. Ernstzunehmende Verschwörer würden keinesfalls einen einzelnen Mann zum Auskundschaften schicken, der nach drei Bechern von diesem gräßlichen Wein die Besinnung verlor! Selbst ein vorgetäuschter Bund mit ihnen wäre Tarothin dann peinlich gewesen.

Aber Trunkenbolde und Schwachköpfe hatten schon mehr als einmal Throne gestürzt. Wenn es zwischen Krieg und Frieden auf der Kippe stand, fiel die Verlegenheit einer Roten Robe kaum ins Gewicht.

Der Brief, der von Pirvan aus Karthay gekommen war, hatte Sir Marod beruhigt.

Der Brief, den er gerade aus Istar erhalten hatte, tat genau das Gegenteil.

Sir Marod sah den Brief an, als könnten sich die Worte auf dem Pergament in etwas so Harmloses wie ein Liebesgedicht oder eine Wäscheliste verwandeln, wenn er sich das nur stark genug wünschte.

Aber alles Wünschen hatte keine Wirkung. Den Brief an

eine Kerzenflamme zu halten hätte eine Wirkung gehabt, aber keine gute. Viel von seinem Inhalt war ohnehin bereits in Sir Marods Bewußtsein verankert.

Der Königspriester schickte also gewisse mächtige und skrupellose Diener von Zeboim, der Königin der Meere, an Bord der Flotte, die aus Istar abreisen sollte. Sie unterstanden seinem Kommando, hatten seinen Segen und wurden von den großen Tempeln unterstützt, und sie waren hinsichtlich des Benutzens ihrer Magie ausdrücklich von den meisten moralischen Schranken befreit.

Das war das Schlimmste daran. Schwarze, rote und weiße Zauberer und die Priester der Götter des Guten, der Neutralität und des Bösen hielten auf Krynn ein Gleichgewicht aufrecht, wie es auch zwischen den Sternen aufrechterhalten wurde, indem sie bestimmte Regeln beachteten. Die Regeln waren nicht so kompliziert und bindend wie der Maßstab der Ritter, aber doch nützlich genug.

Wenn Zeboims Priester zur See geschickt wurden und den Auftrag hatten, alles zu tun, um einen Sieg zu erringen, konnte das den entscheidenden Stein aus dem zerbrechlichen Bogen des Gleichgewichts auf Krynn herausziehen. Dann würde das Chaos losbrechen und alle Lebenden unter Ruinen begraben.

Ich entwickle einen Sinn für dramatische Redewendungen, die ich lieber den Dichtern und den Veranstaltern prunkvoller Umzüge überlassen sollte, dachte Tarothin. Er wußte, Zeboims Priester würden auf Gegenwehr durch magische und menschliche Kräfte stoßen.

Aber ihre Gegenwart würde die Gefahr vergrößern, in die Pirvan und seine Freunde segelten oder marschierten, ohne daß sie rechtzeitig davon erfahren und auf der Hut sein konnten. Und das, wo sie nur von Rubina magische Hilfe bekamen, seit Tarothin die Gefährten wegen seiner Eifersucht verlassen hatte.

Sir Marod hatte schon einige Male Männer und Frauen unabsichtlich in den sicheren Tod geschickt – nicht so viele, daß man sie nicht mehr zählen konnte, aber doch genug, daß es ihm mitunter den Schlaf raubte. Aber immer hatte er sich nach Kräften bemüht, denjenigen, die auszogen, *vor* ihrer Abreise mitzuteilen, was ihnen bevorstand.

Diesmal machte es ihm zu schaffen, daß er Krieger mit gebrochenen Lanzen und stumpfen Schwertern gegen Gegner ausgeschickt hatte, die sich ohne Warnung aus dem Erdboden erheben oder vom Himmel fallen konnten.

Kapitel 10

»Hallooo!« kam der Ruf vom Ende der Marschkolonne. »Sir Pirvan! Ist das der letzte Hügel?«

Pirvan legte die Hände wie einen Trichter an den Mund und rief zurück: »Ja! Danach kommt ein Berg!«

Halbherzige Flüche und müdes Gelächter schallten von den Felsen zurück, während die Männer sich zum höchsten Punkt des Pfades hinaufquälten. Pirvan sandte eine Kraft in seine Beine, die er aus anderen Teilen seines Körpers holte, welche er wahrscheinlich auch noch brauchen würde, ehe er zum Ausruhen kam.

Er war an der Spitze der Kolonne, als sie den Kamm erreichten, und brach vor Erleichterung fast zusammen, als er sah, daß der Abstieg leicht und der Pfad breit und ohne scharfe Kehren war. Wenn man als Kriegsführer an einem einzigen Tag zwei Männer verloren hatte, weil sie zu nahe an eine von Schlamm oder schlüpfrigen Steinen begrenzte Felsspalte geraten waren, dann wußte man Hänge zu schätzen, die so sanft abfielen, daß selbst ein kleines Kind unverletzt hätte hinunterrollen können.

Und Pirvan wußte auch, was er an seinen fähigen Unterführern hatte. Haimya wußte er, auch wenn sie nicht seine Frau gewesen wäre, sehr zu schätzen, ebenso Birak Epron und – zu seiner nicht geringen Überraschung – Rubina. Die Schwarze Robe trug jetzt Männerkleidung, und die verhüllte ihre Reize immerhin so, daß sie die Männer weniger ablenkten – obwohl kein Soldat je mit einem solchen Hut ins Feld gezogen war.

Außerdem schadete es nichts, daß sie am Abend durch die Reihen zu gehen pflegte und mit Hilfe ihres Stabs sowie durch Handauflegen Blasen, Muskelzerrungen, Schrammen von Dornen und Ähnliches heilte. Als Schwarze Robe verfügte sie nur über bescheidene Heilkünste, aber bisher hatte es in der Marschkolonne keine ernsten Verletzungen gegeben. Entweder waren die Männer gleich tot, oder sie marschierten weiter.

Pirvan suchte sich einen möglichst flachen und ebenen Stein am Wegrand und setzte sich. Dann zog er aus einem Beutel an seinem Gürtel eine zusammengefaltete Karte mit Lederrücken hervor.

Diese Gegend hatte nie zu Solamnia gehört, so daß die Ritter sie nicht wie andere Länder selbst kartographiert hatten. Statt dessen hatten sie seit der Schwertscheidenrolle und dem Heiligen Bund darauf vertraut, daß Istar ihnen aus Höflichkeit Karten zur Verfügung stellen würde.

In dieser Hinsicht, wie in so manch anderer, hatten die Ritter weniger erhalten, als ihnen zustand. Das einzige, was Pirvan der Karte entnehmen konnte, war, daß ihr Marsch sie schon fast aus den Hügeln herausgeführt hatte. Vor ihnen lag ebeneres Gelände bis hin zur Küste, und irgendwo an dieser Küste befand sich Waydols Festung.

Demnach würden sie jetzt ein Gebiet betreten, in dem die Bande des Minotaurus herumstreifen konnte. Die Bewohner würden ihnen freundlich oder feindselig begegnen, je nachdem, was sie von Waydol hielten. Auch ihre Einstellung zur Herrschaft von Istar mochte in dieser Hinsicht einen Unterschied machen, und Pirvan tröstete sich mit dem Gedanken, daß die meisten Männer in seiner Begleitung aus Karthay stammten.

Er blinzelte gegen die Sonne im Westen an und schaute dann bergab. Die Bäume waren hoch genug, um selbst auf diesem flachen Hang viel zu verbergen, deshalb brauchte er eine

167

Weile, bis er den Rauch aus den Schornsteinen ein ganzes Stück hinter der letzten sichtbaren Biegung entdeckte.

»Da vorne ist ein Dorf«, sagte er zu Haimya und Epron. »Es liegt unter uns, so daß wir es gewiß noch einige Zeit vor Einbruch der Dunkelheit erreichen können. Aber ob sie uns dort freundlich gesonnen sind?«

Epron nickte. »Die älteste Frage eines jeden Marschführers. Was kann man den Männern zumuten? Denn wenn das Dorf Waydol freundlich gesonnen ist, sind wir womöglich nur sicher, wenn wir weiter gehen, als den Männern guttun könnte.«

Pirvan hatte sich Eprons Meinung bisher nicht so weit unterworfen, daß seine Männer sich hätten fragen können, wer sie eigentlich anführte, und er hatte das auch nicht vor. Doch er konnte nicht bestreiten, daß er noch nie zweihundert Männer in die Schlacht geführt hatte, und Epron hatte das viele Male mehr getan, als er Finger besaß (deren ihm seit einer Schwertwunde an der linken Hand zwei fehlten).

»Also gut. Wir nähern uns auf ebenem Gelände, soweit wir können, stellen ein Lager mit Wachen auf, dann kundschaften wir das Dorf aus. Sobald wir aus dem Wald heraus sind, sollten wir dazu übergehen, uns von Siedlungen fernzuhalten, wenn wir durch das Land ziehen.«

»Wir sollen doch aber herausfinden, wie die Leute Istar, Waydol, Karthay und von mir aus auch den Irda und den Eisbarbaren gesonnen sind«, erinnerte ihn Haimya. »Allerdings, wenn das so wichtig wäre, hätten auch zwei Mann zu Fuß gehen und den Rest auf See bleiben lassen können.«

»Da ist etwas Wahres dran«, sagte Epron. »Ich will Euren Freund Jemar ...«

»Reden wir nicht über Jemar, solange die Männer an uns vorbeiziehen«, warf Haimya ein. »Denken wir lieber daran, daß er auf See ist – mit Istars Flotte, die uns ab dem Moment,

168

wo sie kein Wasser mehr unterm Kiel hat, nicht mehr helfen kann.«

Pirvan wollte darauf hinweisen, daß Jemar seinerseits vor Aurhinius sicher war, sobald das Wasser einem Pferd bis zum Bauch reichte. Aber er wußte, daß ein solcher Schlagabtausch zu leicht zu heftigem Streit führen konnte.

Letztendlich brauchten sie nicht allzu nahe am Dorf vorbeizuziehen. Ein Stück vor dem Dorf ging ein schmalerer Pfad vom Hauptweg ab, und die Späher, die sie vorgeschickt hatten, berichteten, daß er weitab von anderen Dörfern in offenes Gelände hinausführte.

Allerdings führte der Pfad zunächst durch eine Ortschaft von Köhlern, die ihre Brennöfen auf einer Reihe Lichtungen entlang einer Tagesmarschroute aufgebaut hatten. Inzwischen ähnelte Pirvan kaum noch einem Ritter, und man konnte die Soldaten nur deshalb noch als solche erkennen, weil sie bewaffnet waren und eine gewisse Marschordnung aufrechterhielten.

»Pah«, sagte eine Köhlerin (jedenfalls hielt Pirvan sie für eine Frau) und wischte sich die Hände an einer pechschwarzen, rissigen Lederschürze ab. »Ihr Kerle werdet gegen Waydol nichts ausrichten, wenn ihr nicht ohnehin umkippt, bevor ihr überhaupt vor seinem Tor steht.«

Pirvan zuckte mit den Schultern. »Wer sagt denn, daß wir überhaupt etwas anderes wollen als bei ihm anklopfen? Was wir danach machen – das liegt an ihm und seiner Erwiderung.«

»Also betrachtet ihr ihn gar nicht als Feind?«

»Nicht, solange er uns nicht so schimpft, und selbst dann werden wir nur so lange kämpfen, bis er bereit ist zu verhandeln.«

Die Köhlerin – eindeutig eine Frau, obwohl sie kaum kleiner war als Grimsor Einauge – bedachte Pirvan mit einer staubigen, stinkenden Umarmung. »Dann sollen die Götter mit euch sein. Aber seid auf der Hut. Es sind eine Menge Leute hinter dem Kopfgeld her, das auf Waydol ausgesetzt ist, und gegen die müßt ihr vielleicht noch kämpfen, bevor ihr überhaupt am Ziel ankommt.«

So ging es den ganzen Tag weiter. Pirvan und Haimya gaben einiges über Waydol von sich, um die Köhler und ihre Familien aus der Reserve zu locken. Am Ende des Tages war erkennbar, daß Waydol zumindest unter den Köhlern nicht als großer Feind, sondern ganz im Gegenteil mitunter als Freund galt. Zumindest ärgerte er Istar die Mächtige, also konnte er unmöglich ganz schlecht sein, auch wenn er ein Minotaurus war.

Es war schwerer zu sagen, was man im Dorf an der Hauptstraße dachte, denn die Köhler und die Dorfbewohner waren nicht gerade die besten Freunde. Die Waldbewohner argwöhnten, daß die Dörfler Istar die Hand (oder andere Körperteile) küßten, einfach weil sie Leute waren, die so etwas grundsätzlich taten. Einzelheiten aber wußten sie nicht, und nach einer Weile gab Pirvan das Fragen auf.

»Kein Wunder, daß wir mit Nichtmenschen nicht auskommen, wenn nicht einmal zwei Menschensiedlungen, die so nahe beieinander liegen, friedlich miteinander leben können«, sagte Epron, als der letzte Soldat an der letzten Lichtung vorbeigezogen war.

»Das mag nicht überraschen, aber es sind nicht nur die Angriffe gefährlich, die aus dem Hinterhalt kommen«, erwiderte Haimya. Sie bedachte Epron mit einem langen, eindringlichen Blick, und Pirvan erinnerte sich, daß Epron ausschließlich Menschen in seiner Abteilung hatte. Er hatte auch nicht vorgeschlagen, Angehörige anderer Rassen mitzunehmen. Davon gab es zwar ohnehin nicht viele in Karthay, aber man konnte sich doch seine Gedanken machen.

Allerdings würden solche Gedanken Pirvan nur schlaflose

Nächte bescheren, die er sich nicht leisten konnte, wenn er weiter einen Fuß vor den anderen setzen wollte, bis sie an Waydols Tür klopften.

Eine ganze Weile dachte Haimya, daß sie den Hinterhalt mit ihrer Bemerkung womöglich erst heraufbeschworen hatte. Denn keine zwei Stunden nach dem Köhlerwald wurden sie tatsächlich angegriffen. Wenn die Angreifer geschickter oder stärker gewesen wären, hätten sie der Truppe schwer zusetzen können.

So aber hatten die Dörfler, die den Hinterhalt geplant hatten, sich offenbar nicht entscheiden können, welche Seite des Weges sie nehmen sollten. Deshalb rannten sie immer noch auf dem Pfad hin und her und standen sogar streitend in der Mitte, als Pirvans Späher in Sichtweite kamen.

Die Späher sahen alles, ohne gesehen zu werden, schlüpften sofort in den Wald und schlichen sich nach vorn, bis sie die Zahl der Feinde und deren Anordnung ausmachen konnten. Dann eilten ihre Boten zu Pirvan zurück, der seine Truppen sofort anhalten ließ, während er dem Bericht der Männer lauschte.

Birak Epron fand, daß der Wald zumindest zur Linken licht genug für eine kleine Gruppe wäre, die sich von hinten an die Dörfler heranschleichen und sie ihrerseits überfallen konnte. Er meldete sich sogar freiwillig als Anführer, aber Pirvan hatte den Eindruck, daß es ihm nicht so sehr um eine geschickte Taktik ging, sondern viel mehr darum, Rubina zu beeindrucken.

Die Schwarze Robe war Epron treu geblieben, soweit Pirvan das beurteilen konnte, aber er wußte auch, daß Epron immer Zweifel hegen und immer neue Wege suchen würde, vor der Dame großzutun. Seine Bemerkungen, daß er sich durch sie nicht von seinen Pflichten ablenken lassen würde, waren durchaus ernst gemeint, aber nicht die ganze Wahrheit. Zum Glück schienen seine Männer das bisher zu akzeptieren.

»Schickt lieber Euren besten Feldwebel, dazu zehn bis zwölf ausgewählte Männer«, befahl Pirvan dem Söldner. »Keiner von uns zweifelt an Eurem Mut. Aber es könnte auch keiner von uns Euren Posten übernehmen, wenn Ihr bei einem Gefecht gegen Feinde getötet würdet, die Euren Stahl nicht wert sind.«

Epron sah nicht überzeugt aus. »Gute Feldwebel wachsen auch nicht an Tarbeerbüschen«, sagte er. »Und ich habe mir das Vertrauen meiner Männer nicht über all die Jahre erhalten, indem ich anderen Aufgaben übertragen habe, die ich selbst nicht übernehmen wollte.«

»In all den Jahren wurdet Ihr auch noch nie so dringend gebraucht.« Die Müdigkeit brachte Pirvan auf den Gedanken, daß Birak Epron vielleicht gar nichts gegen einen Krieg zwischen Istar und Karthay hatte, der gewiß die Börsen der Söldner aller Länder füllen würde.

Und eine Spur verbrannter Städte, weinender Witwen und Waisen und toter oder verkrüppelter Männer im besten Alter hinterlassen würde – und vieles andere, das die Götter nicht schätzen.

Er behielt diesen Gedanken für sich. »Epron, Ihr müßt Euch entscheiden. Ich glaube nicht, daß die Leute da vorn echte Krieger sind, aber sie schlafen nicht und sind auch nicht betrunken, also können wir nicht ewig warten.«

Epron zuckte mit den Schultern. »Es sei, wie Ihr es wünscht.«

Eprons Feldwebel nahm zehn Männer und verschwand. Ein paar andere Männer schlugen sich auf der anderen Seite des Weges in die Büsche. Ihre Aufgabe war es, den Rückzug der Haupttruppe zu decken, wenn die Angreifer sie unglücklicherweise zu einem Rückzug zwingen sollten.

Der Rest der Kolonne sollte ahnungslos wie ein Wurm im Fischteich den Weg hinuntermarschieren, um die Angreifer zum Zuschlagen zu bewegen. Pirvan betete kurz zu Kiri-Jo-lit, daß die Fische nicht unerwartet groß und hungrig sein mochten, dann nahm er seinen Platz an der Spitze der Kolonne ein.

Pirvan hatte die Stärke und Fähigkeiten der Feinde ziemlich gut eingeschätzt. Es waren kaum mehr als fünfzig, und zum Angriff wählten sie ausgerechnet eine Stelle, wo an beiden Seiten des Weges breite, tiefe Gräben verliefen.

Als die ersten Pfeile heranzischten, fielen daher nur ein oder zwei Soldaten. Die meisten, selbst die schlechter ausgebildeten, warfen sich auf der einen oder anderen Seite in den Graben. Beide Gräben waren voll Wasser, einer sogar kniehoch, so daß die Soldaten es in ihrem Schutz weder trocken noch sauber noch bequem hatten. Auch konnten nicht alle Schützen ihre Bogensehnen trocken halten.

Doch das gelang immerhin so vielen, daß sie die feindlichen Schützen fast so schnell dezimieren konnten, wie diese zwischen den Bäumen auftauchten. Nach wenigen Minuten waren die Feinde so verzweifelt, daß sie losstürmten, obwohl die Soldaten ihnen zahlenmäßig dreifach überlegen waren.

Da schlugen auch Eprons Feldwebel und seine Männer zu. Links der Straße fand der Feind sich zwischen zwei Feuern gefangen und wurde auf nassen Grund getrieben, wo er weder kämpfen noch fliehen konnte, so daß er kurz darauf unterworfen war. Man hätte die Angreifer an Ort und Stelle bis auf den letzten Mann erschlagen können, aber Pirvan hatte strenge Anweisungen gegen sinnloses Töten gegeben. Dieser Befehl wurde auch größtenteils befolgt. Rechts, wo Pirvan selbst die Männer anführte, verlief der Kampf etwas heftiger. Hier waren auf Seiten des Gegners die mutigeren und erfahreneren Kämpfer eingesetzt, und Pirvan mußte tatsächlich zum Schwert greifen, um ein paar Männer zurückzutreiben, die Haimya als Gegnerin gewählt hatten.

Schließlich beendete der Ritter die Sache mit einem vorgetäuschten Rückzug, der die Angreifer aus dem Wald, über den Graben und auf den Weg lockte. Als sie dort ankamen, stürmte Pirvans Nachhut im Laufschritt herbei und umgab die Dörfler mit einem stählernen Band. Diese begannen, ihre ungespannten Bögen als Zeichen ihres Aufgebens zu schwenken, und bald mußten die Gefangenen nur noch gefesselt werden.

Nein, nicht ganz. Pirvan wollte noch herausfinden, wie die Dorfbewohner auf die törichte Idee mit dem Hinterhalt gekommen waren. Trotz seiner Anweisungen, nur im Notfall zu töten, waren sechs der fünfzig Angreifer tot, und Rubina hatte mit vielen Verletzten alle Hände voll zu tun.

Pirvan setzte sich auf einen Baumstumpf vor dem ältesten der unversehrten Männer und betrachtete ihn eingehend. Dann zeigte er auf den Boden. »Setz dich.«

»Du hast uns in der Hand, Hauptmann«, knurrte der Mann. »Du brauchst nicht großzügig zu sein.«

»Im Gegenteil«, sagte Pirvan. »Das ist sehr notwendig, wenn ihr nicht ebenso böse wie töricht seid. Setz dich oder bleib stehen, wie es dir beliebt, aber erzähle mir, warum ihr uns angegriffen habt.«

Anscheinend hatte das Dorf – zweifellos von einem Spion unter den Köhlern – gehört, daß die Söldner sich Waydol anschließen wollten. Das bedeutete, daß sie unterwegs das Land ausplündern würden. Und wenn man ihnen ohne jeden Widerstand den Durchmarsch erlaubte, würde früher oder später Istars Rache in Gestalt eines Hauptmanns der Kavallerie von Aurhinius über sie kommen.

»Dann würden wir ebenso viel bluten wie heute, und dazu noch unsere Habe, Frauen und Kinder verlieren, ganz zu schweigen von unserer Ehre. Wenigstens hat das Blut, das wir heute vergossen haben, uns all das erspart«, sagte der Dörfler.

Pirvan seufzte. Seine eigenen Männer hatten außer Rubinas

Heilsprüchen wenig zu bieten, um die Verluste des Dorfes auszugleichen. Aber in einem von Pirvans Beuteln befanden sich Pergament und Tintenhorn, und damit konnte er etwas für das Dorf tun. Er zog beides heraus, schrieb eilig etwas auf und bat dann Haimya um Wachs. In einen Klecks aus grünem Siegelwachs drückte er seinen Ring mit der Krone darauf, dann faltete er das Pergament und gab es dem Mann aus dem Dorf.

»Bringt das zu einer Burg der Ritter von Solamnia. Es beweist, daß ein Ritter wünscht, ihr möget dort Gehör finden. Man wird euch zuhören, und ich denke, es wird euch Gerechtigkeit widerfahren, vielleicht sogar mehr, als ihr erwartet.«

Der Mann warf Pirvan einen zweifelnden Blick zu. »Im ganzen Land weiß man, daß die Ritter nicht mehr das sind, was sie mal waren.«

»Die Ritter waren nie, was die Legenden erzählen, jedenfalls die meisten. Die Götter wissen, daß ich es auch nicht bin. Weißt du, daß ich einst ein Dieb in Istar war, ehe die Ritter ehrlichere Arbeit für mich fanden?«

Jetzt war der Dörfler völlig verwirrt. Pirvan stand auf und half dem Mann auf die Füße. »Also kniet nicht vor mir. Legt einfach diesen Brief den Rittern vor und urteilt *dann*, wieviel wir wert sind. Vielleicht erlebt ihr eine Überraschung.«

»Ich bin schon jetzt überrascht, Sir ... äh ...?«

»Sir Pirvan.«

»Wie gesagt, ich weiß nicht, was ich von alldem halten soll. Aber vielleicht sind Menschen wie du es wert, die Ritter zu fragen.«

Inzwischen waren die meisten Verwundeten soweit wiederhergestellt, daß sie laufen oder auf schnell hergestellten Tragen aus Ästen und Mänteln transportiert werden konnten. Pirvan stand neben Haimya und sah zu, wie die Dörfler verschwanden, dann drehte er sich zu Birak Epron um.

»Ruft die Männer zusammen, legt die Verkrüppelten und

175

Toten auf Tragen und laßt uns von hier verschwinden. Ich möchte vor Einbruch der Nacht aus dem Wald heraus sein.«

Den Wald vor Anbruch der Nacht zu verlassen erwies sich als unmöglich. Das, was von oben wie offenes Gelände ausgesehen hatte, war in Wirklichkeit von Waldstreifen durchzogen. Pirvan hätte schwören können, daß ein paar von den Bäumen ihm und seinen Leuten folgten.

Schließlich lagerten sie auf einem leicht zu verteidigenden Feld mit Wald auf der einen Seite und einem klaren Fluß auf der anderen. Die leichten Zelte wurden aufgestellt und die Verwundeten unter Rubinas Aufsicht hineingelegt. Ein paar Männer gingen los, um die beiden Toten zu begraben.

Pirvan lehnte sich an einen kräftigen Ahornbaum und zog seine Stiefel aus. Er hatte sie seit dem Kampf weder ausgezogen noch getrocknet, und die wunden, roten Streifen an seinen Unterschenkeln verrieten ihm, daß er damit wenig klug gehandelt hatte. Er schlüpfte auch aus den Socken und genoß das Gefühl des Grases an seinen nackten Sohlen, als sich plötzlich neben ihm in der Finsternis ein Schatten rührte.

Er griff eilig nach seinem Schwert. Der Schatten bewegte sich wieder und wurde zu einer vom Schein der Lagerfeuer umrissenen Silhouette.

»Guten Abend, Herrin Rubina.« Pirvan hatte die Schwarze Robe schnell erkannt.

»Guten Abend, Sir Pirvan. Ich spüre, daß Ihr einer Heilung bedürft.«

»Ich habe nichts, das frische Luft nicht heilen könnte, ohne daß Ihr Euch bemühen müßt.«

»Vielleicht, vielleicht aber auch nicht. Laßt mich wenigstens einen Blick darauf werfen, damit es nicht noch schlimmer wird und ich mich zum Heilen noch mehr anstrengen muß.«

»Verzeiht. Ihr habt Euch ehrenhaft und gut um alle Männer

gekümmert, und es wäre unrecht, Euch um mehr zu bitten, als Ihr geben könnt.«

»Ich bin für meine Großzügigkeit bekannt, aber trotzdem vielen Dank«, erwiderte Rubina.

Pirvan erkannte die Doppeldeutigkeit ihrer Worte, wußte aber, daß er Rubina am besten durch Schweigen davon abbringen konnte, in dieser Art weiterzumachen.

Allerdings fiel es ihm schwer, lange stillzuhalten, als Rubinas lange, geschickte Finger seine wunden Schenkel zu umspielen begannen. Leise, zufriedene Seufzer entrangen sich seiner Kehle, obwohl Rubina zumindest nicht darauf bestanden hatte, daß er seine Hose auszog.

Leider schien es für Rubinas subtile Liebeszauber wenig auszumachen, was ein Mann anhatte. Als Pirvan auf einmal das brennende Bedürfnis verspürte, Rubina auf seinen Schoß zu ziehen und zu küssen, wußte er, daß er verschwinden mußte.

Er sprang auf, sich dessen bewußt, daß jeder, der ihn sah, seine Lust erkennen konnte. Auch Rubina stand auf. Sie schmiegte sich an ihn, wobei deutlich zu erkennen war, daß sie unter ihren Soldatenkleidern nicht viel trug, dann hob sie die Hand und strich über Pirvans Wange und seine Lippen.

Jetzt lachte sie – ausnahmsweise kein spöttisches Lachen, sondern eines, in dem echte Zärtlichkeit lag – und küßte Pirvan aufs Kinn. »Ich … nun, Ihr wißt, was ich wollte, und ich kenne Eure Gedanken. Aber weil ich Eure Gedanken kenne, weiß ich auch, daß ich diese Macht über Euch nicht brauche, Sir Pirvan. Und daß ich nichts zu gewinnen hätte, wenn ich mich zwischen Euch und Eure Gemahlin stelle. Ihr zwei teilt etwas sehr Seltenes miteinander. Ich glaube, es hat die Macht, Euch beide zu schützen. Wenn ich je einen Zauber für Euch wirken könnte, wäre er dazu da, diese Macht hervorzulocken.«

Rubina küßte Pirvan noch einmal und ging davon. Das Wiegen ihrer Hüften verriet deutlich ihre eigene Lust und die feste Absicht, diese zu befriedigen. Pirvan stand noch einen Augenblick an den Baum gelehnt und rieb sich die Stellen, wo die Schwarze Robe ihn geküßt hatte. Nicht um sich von irgendwelcher Unreinheit zu säubern, sondern einfach, um besser begreifen zu können, was geschehen war.

Schließlich entschied Pirvan, daß das alte Heilmittel des kalten Wassers ihm würde helfen können. Er lief vom Lager flußaufwärts hinter die Wachtpostenlinie. Im Schutz einiger Büsche legte er an einer ruhigen Stelle seine Kleider ab und sprang ins Wasser.

Es war belebend, beruhigend, reinigend und vieles andere, alles zugleich. Pirvan genoß die Umarmung des Wassers, wie er Rubinas Zärtlichkeit nie hätte genießen können, als plötzlich ein Platschen neben ihm ertönte, das für einen Fisch zu groß war.

Er wirbelte herum. Da durchbrach ein Menschenkopf die Wasseroberfläche, ein Kopf, an dem nasses, helles Haar klebte. Die Augenfarbe war im Dunkeln nicht zu erkennen, doch die Form des Kopfes war Pirvan bekannt.

»Glückauf, schöne Dame.«

»Anscheinend hatten wir beide ein Bad im Sinn«, stellte Haimya fest.

»Allerdings«, gab Pirvan zur Antwort. Obwohl dies nicht mehr das einzige war, was er im Sinn hatte; selbst kaltes Wasser hatte seine Grenzen, wenn er es mit Haimya teilte.

Sie nahm ihn an die Hand und führte ihn ans Ufer. Als das Wasser ihnen nur noch bis zum Bauch reichte, legte er von hinten die Arme um sie und küßte ihren Nacken durch die nassen Haare hindurch. Sie drehte sich zu ihm um – und dann wurde nur noch sehr wenig gesprochen, und das so lange, daß erst die Rufe der Suchtrupps aus dem Lager die beiden wieder weckten.

Nachdem sie ihr Zelt erreicht hatten, schliefen sie bald wieder ein, und Pirvans letzter Gedanke, bevor er in den Schlaf glitt, lautete: *Alle Krieger sollten Frauen wie Haimya haben. Aber wenn es so wäre, würden sie sie niemals verlassen wollen, um in den Krieg zu ziehen.*

Ist das ein Weg, überall Frieden zu schaffen, einer, den selbst die Götter übersehen haben?

Kapitel 11

Tarothin war nicht gerade ein begeisterter Segler, nicht einmal an Bord eines größeren Schiffes wie der *Goldenen Tasse*. Jetzt war er noch weniger begeistert, denn er mußte sich verzweifelt an alles festklammern, was sich ihm als Halt bot, während das Boot sich aus dem Westhafen von Karthay hinauskämpfte. Der Wind war ziemlich stürmisch, der Regen peitschte Tarothin ins Gesicht, Gischt durchnäßte alles, was der Regen trocken ließ, und die *Stolz der Berge*, das von den »treuen Karthayern« angeheuerte Schiff, hätte auch auf Nuitari sein können, so wenig sah Tarothin von ihr.

Er hatte den bescheidenen Trost, daß er die rauhe Fahrt besser durchstand als ein gut Teil seiner Kameraden. Die neuen Rekruten schienen billige Söldner zu sein, die man in allen möglichen Spelunken von Karthay aufgelesen hatte. Sie sahen im Moment so aus, als würden sie bereitwillig auf den Grund des Hafens sinken, wenn das ihr Elend beenden würde.

Dann flaute der Wind kurzfristig ab, die Segel fielen schlaff in sich zusammen, jemand rief: »Die Ruder raus!«, und die wenigen an Bord, die noch ein Ruder handhaben oder überhaupt wahrnehmen konnten, gingen an die Arbeit. Tarothin entschied, daß es nicht unter seiner Würde sei, selbst zum Ruder zu greifen, und er kam ordentlich ins Schwitzen, bis das Boot neben die *Stolz der Berge* glitt.

Er schwitzte noch stärker, als sie mit dem Entladen des Boots begannen. Ladung wie Passagiere mußten in Netzen an Deck gehievt werden, und Tarothins herabrinnender Schweiß brannte an den frischen Blasen an seinen Händen.

Schließlich waren das letzte Faß und der letzte Sack im Laderaum verstaut, so daß die Decks der Mannschaft und den stöhnend daliegenden Rekruten vorbehalten waren. Jemand, der eine Art Maatsschärpe trug, rief Tarothin zum Achterkastell herüber.

»Kannst du diesen armen Teufeln mit einem Heilspruch auf die Beine helfen?« fragte der Mann und zeigte auf das Deck voller Seekranker.

Tarothin runzelte die Stirn. Er wollte nicht so früh schon größere Heilzauber verwenden, schon gar nicht auf kleinere Leiden wie Seekrankheit. Er mußte seine Kräfte schonen, besonders, da er wußte, daß die *Stolz der Berge* sehr wenig Proviant an Bord hatte und er die kargen Rationen durch Zauber würde aufbessern müssen. Außerdem war es um so besser, je weniger die neuen Kameraden um seine wahre Macht wußten. Dann konnte er sie leichter überraschen, wenn die Zeit kam, seine Kräfte zu nutzen.

»Ach was, diese Kerle kommen schon von allein wieder hoch, wenn ich sie erst mal so weit bringe, daß sie Wasser und Brühe bei sich behalten. Wenn mir jemand die Kombüse zeigt, kann ich zwei oder drei Kessel mit Tränken brauen, die ihren Magen besänftigen werden. Dazu brauche ich nur soviel Magie, wie sie jeder Feld-, Wald- und Wiesenzauberer im Schlaf hersagen kann.«

Der Maat schien an seinen Worten zu zweifeln. Tarothin zuckte mit den Schultern. »Ich kann sie auch alle wieder gesundzaubern, aber willst du wirklich so viel Magie um das Schiff hängen haben, wo wir doch bald in See stechen?«

»Wer hat dir gesagt, daß wir bald in See stechen?« Der Maat schien zu überlegen, ob er ein paar Helfer herbeirufen und Tarothin in Ketten legen lassen sollte.

Tarothin täuschte völlige Gleichgültigkeit gegenüber diesem Schicksal und der Entscheidung des Maats vor. »Niemand hat es mir gesagt, aber ich habe Augen im Kopf, und ich bin nicht zum ersten Mal auf See. Außerdem – dieser Wind mag ja häßlich sein, aber er taugt gut dazu, ein Schiff von der Küste wegzubringen. Wenn man allerdings erst drauf warten muß, daß sich die Zaubersprüche auflösen, könnten sie widrige Winde nach sich ziehen.«

»Aye«, sagte der Maat mit säuerlichem Blick. »Und das würden unsere Herren aus Istar uns nicht danken.«

Tarothin ließ sich den Weg zur Kombüse beschreiben und verließ den Maat, um mit Hilfe einiger seekranker Rekruten deren schlimmer mitgenommenen Kameraden zu helfen. Er fragte sich, ob die Bemerkungen des Maats eine gewisse Unzufriedenheit des Seefahrers verrieten, Landratten zu Diensten zu sein.

Wenigstens konnte er es sich erst mal mit niemandem auf der *Stolz* verderben, wenn seine erste Arbeit an Bord darin bestand, zwei Dutzend seekranker Rekruten in einen halbwegs gesunden Zustand zu versetzen.

Einige Tagesreisen weiter nordwestlich spähte Jemar der Schöne gerade durch eine Luke im Achterkastell der *Windschwert* und betrachtete ebenfalls eine Szene an Deck. Hätte er seine Gefühle mit denen des Maats auf der *Stolz* vergleichen können, so hätten sie wahrscheinlich festgestellt, daß sie Seelenverwandte waren.

Nicht, daß das Deck der *Windschwert* auch mit grüngesichtigen Rekruten übersät gewesen wäre, die so seekrank waren, daß es ihnen egal war, ob sie lebten oder starben. Abgesehen von den gewöhnlichen Matrosen, die den Aufbruch vorbereiteten, sah man an Deck der *Windschwert* nur drei Frauen in passender Kleidung: Kapuzenmantel über Tunika, Hose und kurzen Stiefeln. Sie waren von einer bescheidenen Ansammlung von Taschen, Truhen und Kisten umgeben.

Eine der Frauen war erkennbar schwanger, was auch ihre locker sitzende Kleidung nicht verbergen konnte. Und das war es auch, was Jemar die gute Laune raubte. Die Frau, die er liebte wie das Leben selbst und fast so sehr wie das Meer, beharrte darauf, mit ihm in See zu stechen, obwohl sie bereits die Hälfte ihrer vierten Schwangerschaft hinter sich hatte.

Immerhin hatte eine angemessene Begrüßung noch nie geschadet. Wenn sie sogar einem Todfeind zustand, dann erst recht der eigenen Frau. Jemar holte tief Luft und trat an Deck.

Einen Augenblick später konnte er kaum noch atmen, so fest nahm Eskaia ihn in die Arme. Sie war überraschend stark für eine Frau, die ihm kaum bis zur Schulter reichte, und ihre Umarmung erfüllte ihn mit Wärme, obwohl er ihre gerundete Mitte spürte.

»Womit habe ich diese Begrüßung verdient?« fragte Jemar mit hochgezogenen Augenbrauen.

»Damit, daß du mir erlaubt hast, an Bord zu kommen und mit dir zu segeln«, antwortete Eskaia und lächelte ihn strahlend an.

Jemar versuchte, jeden Tonfall, geschweige denn Worte zu vermeiden, die einen Streit provozieren konnten. »Und wem verdanke ich die Ehre deiner Begleiterinnen?«

Eskaia trat zurück und kniff ihren Mann spielerisch in die Rippen. »Wenn du Amalya vergessen hast, meine erste Zofe, dann frage ich mich, wie du dich aufschwingen kannst, diese Flotte zu befehligen. Wie gut, daß ich hier bin, um deinen Platz zu übernehmen, wenn dein Kopf …«

Jemar konnte sich das Lachen nicht länger verbeißen. Obwohl in ihren Worten ein Körnchen Ernst verborgen lag; wäre Eskaia in eine Familie wie die ihres Mannes hineingeboren worden, so wäre sie mittlerweile vielleicht wirklich über das

Deck ihres eigenen Schiffes geschritten (wenn auch hoffentlich nicht in diesem Stadium der Schwangerschaft) und hätte sich danach gesehnt, eines Tages ihr eigenes Banner zu hissen. Sie hatte sich dem Leben einer Seebarbarenfrau so angepaßt, als wäre sie als eine solche geboren, nicht als Erbin eines der größten Handelshäuser von Istar.

Jemar hörte auf zu lachen, als ihm klar wurde, daß Eskaia immer noch redete: »… ist Delia, eine Rote Robe mit besonderen Fähigkeiten als Heilerin und Hebamme. Natürlich gehe ich nicht davon aus, daß wir so lange auf See bleiben, bis das Baby zur Welt kommt, aber Delia hat auch ein Talent, Mißgeschicke abzuwenden.«

Das Wort Fehlgeburt *solltest du lieber vermeiden*, dachte Jemar.

Sie hatten mit ihren Kindern Glück gehabt: Drei gesunde Kinder nacheinander, die all die Jahre gesund geblieben waren, seit die Hebammen sie den stolzen Eltern nach der Geburt zum Betrachten hingehalten hatten. Doch daß Eskaia auf dieser Reise mitsegelte, kam Jemar wie ein Herausfordern des Schicksals vor.

Inzwischen hatten alle Männer an Deck ihre Arbeit unterbrochen und schleppten eifrig Lady Eskaias Gepäck davon. Sie hätten auch ihre Herrin noch auf Händen getragen, wenn sie diese Ehre nicht lieber ihrem Kapitän hätten überlassen wollen.

Vielleicht ist es ganz gut so. Habbakuk weiß, daß die Männer Eskaia lieben, und wenn sie sie als Maskottchen betrachten …

Jeder Mann an Deck der *Windschwert* jubelte, als Jemar der Schöne seine Frau hochhob und in das Achterkastell trug.

Tarothin fand die Kombüse der *Stolz der Berge* so schlecht bestückt vor, wie er es erwartet hatte. Immerhin gab es genug

Kräuter und Gewürze für einen Trank, nicht den besten zwar, aber mit ein wenig Hilfe durch Magie und ein wenig mehr Hilfe von seiten der Götter würde es wahrscheinlich reichen.

Der Zauberer der Roten Roben arbeitete schnell. Er befolgte die Regel, daß niemand glauben würde, daß der Trank etwas taugte, wenn er nicht gräßlich schmeckte. Der Geruch des siedenden Trankes trieb beinahe die Köche und ihre Gehilfen aus der Kombüse, und die Jungen, die die Töpfe an Deck tragen mußten, taten dies erst, nachdem sie sich Taschentücher um Nase und Mund gebunden hatten.

Aber der Trank half. Bis die *Stolz der Berge* zum Auslaufen bereit war, waren die immer noch blassen Rekruten auf den Beinen – und wurden prompt von den Maaten des Bootsmanns an der Spill, an den Segelleinen oder zum Vertäuen loser Leinen eingesetzt.

Sobald sie die Küste hinter sich hatten, taten das Wetter und das Schiff ihr Möglichstes, die Rekruten wieder in den Krankenstand zurückzubefördern, doch das Möglichste reichte nicht aus. Alle waren noch auf den Beinen und an der Arbeit, oder aber sie hatten keinen Dienst und schliefen sich gerade aus, als die *Stolz* auf die Flotte von Istar traf.

Das Wetter taugte noch immer nicht für eine Vergnügungsfahrt, und Tarothin hätte schwören können, daß er Nebel, Regen, Gischt und Wolken zugleich in der Luft sah. Er klammerte sich an die Reling und versuchte, die Flotte von Istar abzuschätzen. Er zählte fünfzehn Schiffe von einer Größe, die neben der Mannschaft noch über tausend Soldaten beherbergen konnte.

Einigen davon machte das schlechte Wetter zu schaffen. Die Galeeren hatten alle Segel gesetzt und ihre Ruderpforten fest geschlossen. Selbst die schwereren Segelschiffe schlingerten träge hin und her, wovon Tarothin bei längerem Hinsehen schwindelig geworden wäre.

Aber er sah nicht lange hin. Statt dessen ging er unter Deck und schloß sich in seiner Kabine ein. Seine Dienste hatten ihm ein eigenes Quartier eingebracht. Er streckte sich auf der Koje aus und belegte sich mit einem leichten Spruch, der ihn in Trance versetzte, und einem stärkeren, der ihn jede Magie oder jedweden Betreiber von Magie in der Flotte wahrnehmen lassen würde.

Der Zauber würde ihm allerdings nicht gestatten, sich in fremde Sprüche einzumischen; das war eine andere, ernstere Sache – und natürlich viel gefährlicher. Ebensowenig würde Tarothin gegen magische oder gar körperliche Angriffe geschützt sein, solange er sich in Trance befand.

Aber die Kombination beider Sprüche hatte einen großen Vorteil: Tarothin war unauffällig wie eine Fliege an der Wand und würde von denen, die unten ihren Geschäften nachgingen, nicht bemerkt werden.

Wenn er erwachte, würde die Flotte von Istar weniger magische Geheimnisse vor ihm haben.

Lady Eskaia ließ sich auf dem zweitbesten Kabinenstuhl ihres Mannes nieder, dem aus Vallenholz mit Intarsien aus polierten weinroten Korallen und Hornwalbein. Jemar fiel auf, daß sie sich gleichermaßen vorsichtig wie graziös bewegte.

Sie würde diese Grazie auch nicht in den letzten Monaten der Schwangerschaft verlieren, wo jede Frau die Form einer Melone auf zwei Beinen annahm und sich entsprechend bewegte. Es war, als sei Eskaia eine Elfe, vielleicht eine mit dem wilden Blut der Kagonesti unter ihrem dunklen Teint, mit einer instinktiven Anmut in allen Bewegungen zu Land und zu Wasser, laufend und tanzend, bekleidet und …

Jemar versuchte diesen letzten Gedanken gar nicht erst aus seinem Kopf zu verdrängen, sondern zwang seine Zunge, sich davon inspirieren zu lassen, Worte zu formen, die seine Frau

hoffentlich dazu bewegen würden, wieder an Land zu gehen.
»Du bist zu schön, um wahr zu sein, selbst wenn ich dich in
Fleisch und Blut hier vor mir sitzen sehe.«

»Selbst mit dem Kind?«

»Natürlich.«

Sie hauchte ihm einen Kuß zu. »Ich werde mein Leben lang
darüber staunen, wie ein so rauher Krieger der See eine so ho-
nigsüße Zunge entwickeln konnte.«

»Ich wurde von dir inspiriert, Herrin.«

»Wenn du so sehr inspiriert wurdest, mein Gebieter, warum
scheint meine Anwesenheit hier dich dann so zu stören? Bringe
ich Unglück?«

»Nein.« Das entsprach der Wahrheit. Diejenigen, die noch
glaubten, daß eine Frau an Bord Unglück über ein Schiff
brachte, starben allmählich aus, und Jemar wollte keinen davon in seinen Diensten haben. »Du hast mir immer Glück gebracht, seit ich dich kenne«, fuhr er fort. »Ich schulde dir etwas ...«

»Für meine Mitgift und die Beziehungen zum Hause Encuintras und dessen Verbündeten, die ich dir verschafft habe,
würde ich sagen.«

»So etwas sagst du, während ich hier Worte voll sanfter Leidenschaft spreche ...?«

»Besser als Worte voll nicht so sanfter Leidenschaft, die
mich zurück ins Boot und an Land schicken sollen.«

Jemar sprang von seinem Stuhl auf. Er wäre am liebsten auf
die Knie gefallen, hätte seinen Kopf in Eskaias Schoß gelegt
und sie gebeten, doch zu überlegen, welche Torheit sie vor-
hatte. Statt dessen blieb er stehen und ballte die Hände zu Fäusten.

Eskaias Blick schien ihn zu durchbohren. Ob sie argwöhnte,
daß er versucht war, die Hand gegen sie zu erheben? Das hatte
er zweimal getan; er war ziemlich sicher, daß sein Leben ver-

wirkt wäre, wenn er es ein drittes Mal täte. Seit langem schon hielt er nun seine Zunge, sein Temperament und den Weinkonsum im Zaum, eine Mäßigung, die ihm insgesamt vermutlich nicht schadete.

Im Gegenteil, diese Mäßigung würde ihm weitere gemeinsame Jahre mit Eskaia einbringen, die siebzehn Jahre jünger war als er und wahrscheinlich eine silberhaarige Schönheit sein würde, wenn er ein murmelnder Greis war – oder längst von den Fischen ferner Meere bis auf die Knochen abgenagt. Er wollte diese Jahre mit Eskaia. Er wollte sie so sehnlichst, daß er sie bereits auf seinen Lippen schmeckte ...

Eskaia erhob sich und umarmte ihn, so daß er statt dessen seine Träume auf ihren Lippen schmeckte. »Ich unterschätze die Gefahren dieser Reise gewiß nicht, Geliebter. Aber denk daran, daß ich mit Milandor im Leib einen Wintersturm überstanden habe, und jetzt reicht er mir bis zur Schulter und ist mutig wie ein Minotaurus.«

»Ein Sturm ist keine Schlacht. Solange ein Schiff über Wasser bleibt, überleben alle an Bord den Sturm mit größter Wahrscheinlichkeit. Eine Schlacht ist etwas anderes. Eine Schlacht, in der wir womöglich gegen die Flotte von Istar antreten müssen, die alle Vorteile auf ihrer Seite hat ...«

»Du brauchst mir die Gefahren dieser Reise nicht einzeln zu beschreiben«, unterbrach ihn Eskaia. »Aber bedenke, wie viele Gefahren ich abwenden könnte: Erstens kann es sein, daß ich einige der Kapitäne aus Istar kenne, oder zumindest ihre Untergebenen. Wenn wir verhandeln, anstatt gleich zu kämpfen, wird das nützlich sein. Zweitens könnte Istars Flotte durchaus Lust verspüren, Josclyn Encuintras' Schwiegersohn zu den Dargonesti und den Haien zu schicken. Sie dürften aber weniger bereit sein, Josclyns Tochter zu versenken. Mein Vater ist noch nicht zu alt, um ein mächtiger Feind zu sein.«

»Du bittest mich, in dem Wissen in die Schlacht zu segeln,

daß ich meine Frau als Schild benutzen soll? Meine schwangere Frau?« Jemars Finger zuckten, und seine Stimme erreichte die Höhe des Windes, der heulend durch die Takelung strich.

Eskaia rührte sich nicht, sondern lächelte. »Wähle. Laß dich von Kleingeistern für einen Feigling halten, weil du dich auf diese Weise schützt. Oder laß dich von mir und bestimmt auch anderen für einen Narren halten, weil du es ablehnst, dich jeder Waffe zu versichern, die die Götter dir zur Verfügung stellen.«

Jemars Schultern sackten herunter. Eskaia würde sich bestimmt nicht den Mund über ihn zerreißen wie der Wind, der die Segel in Fetzen reißt, wenn sie glaubte, daß er aus Stolz einen Narren aus sich machte. Aber etwas zwischen ihnen würde sich verabschieden, etwas, daß das Leben süßer machte, als er es sich je erträumt hatte.

»So wie ich dich kenne, hast du noch einen weiteren Grund, mitsegeln zu wollen«, sagte er. Sein Lächeln war gezwungen, aber sie beantwortete es mit einem eigenen. »Du willst unsere alten Freunde wiedersehen, unsere Freunde von der Fahrt zum Kratergolf.«

»Du bist gar nicht so dumm, wie du manchmal tust, Jemar«, sagte Eskaia und küßte ihn wieder. »Ich wäre wirklich sehr glücklich über ein Wiedersehen.«

»Jedenfalls solange wir nicht zu sehr damit beschäftigt sind, Rammspornen und Pfeilregen auszuweichen, um jemand anderem auch nur ›Guten Tag‹ sagen zu können«, fügte Jemar hinzu und nahm seine Frau liebevoll in die Arme. »Nun schick diese magiekundige Hebamme oder diese Hebammenzauberin, oder was sie auch ist, herein, damit ich mich von ihren Künsten überzeugen kann. Denn wenn sie nicht ist, was sie zu sein vorgibt, dann gehst du am Ende doch noch zurück an Land.«

»Das ist nur gerecht«, sagte Eskaia so unterwürfig wie ein-

Mädchen von neunzehn, nicht wie eine Matrone jenseits der Dreißig.

Jemar wollte schon mit den Zähnen knirschen, weil seine Großspurigkeit so sinnlos war. Aber hätte er diese Gewohnheit nicht vor Jahren abgelegt, so hätte die Ehe mit Eskaia seine Zähne längst in Stümpfe verwandelt und seine Nahrung auf Suppe und Bier reduziert.

Für Magieunkundige sah es so aus, als würde Tarothin schlafen. Tatsächlich hätte es mindestens eines Zaubers der vierten Stufe bedurft, um den Anschein des Schlafes zu durchbrechen – und ein solcher Durchbruch hätte die Trance in echten Schlaf verwandelt, in dem ein neugieriger Zauberer – ob freundlich oder nicht – kaum etwas erfahren hätte.

Das war auch gut so, denn Tarothin belauschte die Gedanken von Magiekundigen, die so nahe waren, daß sie an Bord der Flotte sein mußten. Er konnte aber nicht feststellen, auf welchen Schiffen sie waren. Er hatte den unbestimmten Eindruck, daß sie sich in einer Kammer befanden, die so feucht und dunkel war, daß sie unterhalb der Wasserlinie eines großen Schiffes liegen mußte.

Das war alles, was er von der äußeren Umgebung der Belauschten wahrnahm.

Viel deutlicher war das nächste Bild, ein aufgewühltes Meer, das von Schiffen mit straff geblähten Segeln durchpflügt wurde. Grünes Wasser überspülte den Rumpf und mitunter das Vorkastell der Schiffe. Vor ihnen her flog eine nebelhafte Gestalt, die sich mitunter so scharf abzeichnete, daß man den Blauen Phönix erkannte, eine verbreitete Form von Habbakuk.

Plötzlich erhob sich die See vor den Schiffen zu einem schaumgekrönten Wasserberg. Innerhalb dieses Berges, der trotz der Kraft des Windes und des eigenen Gewichts seine Gestalt behielt, war es vollkommen dunkel.

Die Finsternis löste sich aus dem Wasser – und verwandelte sich in die monströse Schildkrötengestalt von Zeboim, die das Böse ins Wasser lenkte wie Habbakuk das Gute. Sie sprang ganz aus der riesigen Welle heraus und schnappte mit dem Maul nach einem Flügel des Blauen Phönix.

Jetzt blies der Wind aus dem Wasserberg heraus. Die Schiffe, die sich im Kampf mit der Welle bereits neigten, neigten sich nun noch stärker. Manche kippten ganz um und lagen mit dem Kiel nach oben, ehe sie schließlich untergingen; andere versanken mit dem Heck voran, während die Männer sich noch verzweifelt an die Reling klammerten, bis ihre Kräfte nachließen und auch sie in der brodelnden See verschwanden.

Die kämpfenden Götter setzten Donner und Feuer ein. Der Wind riß jedem noch schwimmenden Schiff alle Segel herunter, brach eine Reihe von Masten und warf ein weiteres Schiff auf die Seite. Es ging fast augenblicklich unter, als ob eine Riesenhand – oder ein Maul? – es in die Tiefe gerissen hätte.

Das Feuer enthielt gleichzeitig alle Farben und keine, und die meisten Farben waren nicht von der Art, daß ein kluger Mann ihnen einen Namen hätte geben können, denn dazu hätte er sie zu lange aus der Nähe betrachten müssen. Es enthielt auch eine überwältigende Hitze, und oben auf dem Wellenkamm verwandelte sich genug Wasser, um einen kleinen See zu füllen, in gleißend hellen Dampf.

Tarothin sah, wie die Mauer aus Dampf sich auf ihn zubewegte. Er wußte, daß sein Fleisch bis auf die Knochen verbrannt werden würde, und kämpfte darum, aufzuwachen oder einen Schutzzauber zu sprechen, am besten beides, aber er …

… erwachte schweißgebadet. Seine Bettwäsche in der Koje war fast so durchnäßt, als ob seine Kabine überflutet worden wäre. Er sah zur Luke hoch; sie war so fest verschlossen, daß nicht einmal ein Rinnsal eindringen konnte. Auch der Boden war trocken, kein dunkler Fleck verunzierte den einfachen

Wollteppich, den er mit seinen letzten paar Türmen für die Kabine erstanden hatte.

Was bei diesem Ringen der Götter aus Habbakuk geworden war, wußte Tarothin nicht. Er hielt es für unvorsichtig, zu lange in dieser … Vision, Traum, Alptraum? … zu verharren. Er kannte den Zauber zum Belauschen von Magie erst seit einigen Jahren, und der Zauber war unter den Schwarzen Roben nicht weit verbreitet, bei den Roten selten und bei den Weißen ausdrücklich untersagt.

Aber wenn Zeboims Priester sich so offen verschworen hatten, um ihre Herrin über Habbakuk siegen zu sehen, stammte ihre Zuversicht vielleicht aus der Beherrschung einiger ungewöhnlicher Sprüche. Noch bevor die Reise vorbei war, würde Tarothin vielleicht feststellen, daß seine Gedanken für sie ebenso zugänglich waren wie ihre für ihn.

Dann würde der Sieg davon abhängen, wer als erster zuschlug.

Tarothin trank den halben Wasserkrug leer, dann zog er sich aus und wusch sich mit einem Lappen, den er in die andere Hälfte des Wassers tauchte, den Schweiß vom Körper. Als er fertig war, fühlte er sich nicht nur körperlich, sondern ein wenig auch seelisch gereinigt.

Außerdem war er wieder so urteilsfähig, daß er wußte, worin seine Pflicht lag. Die Neutralität verlangte von ihm, daß er nicht als erster zuschlug, wenn die Gefahr nur ihm selbst galt. Aber die Neutralität verlangte noch stärker, daß er keine solchen Skrupel haben durfte, wenn seine Freunde in Gefahr waren.